1 MONTH OF
FREE
READING

at

www.ForgottenBooks.com

By purchasing this book you are eligible for one month membership to ForgottenBooks.com, giving you unlimited access to our entire collection of over 1,000,000 titles via our web site and mobile apps.

To claim your free month visit:
www.forgottenbooks.com/free1231289

ISBN 978-0-332-72252-8
PIBN 11231289

This book is a reproduction of an important historical work. Forgotten Books uses
state-of-the-art technology to digitally reconstruct the work, preserving the original format
whilst repairing imperfections present in the aged copy. In rare cases, an imperfection in
the original, such as a blemish or missing page, may be replicated in our edition. We do,
however, repair the vast majority of imperfections successfully; any imperfections that
remain are intentionally left to preserve the state of such historical works.

zum

Gebrauch

beim

Oeffentlichen Gottesdienst

und der

Häuslichen Erbauung.

———✦●✦———

Redet mit einander von Psalmen und Lobgesängen
und geistlichen Liedern, singet und spielet dem
Herrn in euren Herzen.   Eph. 5, 6.

———✦●✦———

Lancaster, Pa.:
Druck und Verlag von Johann Bär's Söhnen.
1870.

Vorrede.

Ehe das Gesetz Mosis gegeben wurde, war schon das Singen eine religiöse Uebung. Die Israeliten sangen dem Herrn ein Lied und priesen Gott für die Errettung aus der Hand Pharaos und seines Heeres. Die Psalmen und Gesänge des Königs David steilen ihn in gleichen Rang mit den größten Dichtern. Sie sind nicht allein der Ausdruck einer reinen religiösen Gesinnung, sondern in heiliger Erhabenheit übertreffen sie die Gedichte aller Nationen.

Im Evangelium ist uns das Singen besonders anbefohlen. Epheser 5, 19. Col. 3, 16. Von Christus selbst und seinen Jüngern lesen wir Matth. 26, 30. Da sie den Lobgesang gesprochen (im engl. Text gesungen) hatten, gingen sie hinaus an den Oelberg.

Weil denn das Singen ein in heil. Schrift anbefohlener Gebrauch ist, welcher in religiösen Versammlungen geübt werden soll, so folgt auch deutlich, daß Alle mitsingen sollten, oder wenigstens wissen was gesungen

1*

wird, auf daß die Sinne und Gedanken sich
zu Gott kehren mögen,

> Daß die Herzen von der Erden
> Ganz zu Ihm gezogen werden.

Aus dieser Absicht ist es für schicklich er-
achtet worden ein Liederbüchlein zu verfassen
von bequemer Größe, um es in die Versammlung mitzunehmen und um Allen eine
Gelegenheit zu geben mitzusingen.

Da diese Liedersammlung hauptsächlich
aus Liedern bestehet, welche seit langer Zeit
in den religiösen Versammlungen gelehrt
und gesungen worden sind, so kann sie nicht
als eine Neuerung angesehen werden. Die
zahlreiche Unterstützung, die der Sammlung
zu Theil wurde, ist ein hinlänglicher Beweis,
daß das Werk für eine Nothwendigkeit betrachtet wird.

Möge es dienen zur Ehre Gottes und zur
Auferbauung Seiner Gemeinde.

Vorbericht. — Die Lieder, welche auf eine
Melodie können gesungen werden, folgen regelmäßig
aufeinander, und kommen unter einer Zahl vor, die
am Anfange eines jeden Liedes eingeklammert ist.
Nur solchen Liedern, welche in einem andern Ton
gehn als in diesem Buche enthalten ist, ist die Melodie vorangesetzt; ausgenommen solche, die in eige-
nem Ton gehen.

Lieder-Sammlung.

(1)

O Gott Vater, wir loben dich,
   Und deine Güte preisen;
Daß du dich, o Herr, gnädiglich,
An uns neu hast bewiesen.
Und hast uns, Herr, zusammen g'führt,
Uns zu ermahnen durch dein Wort,
Gieb uns Genad zu diesem.

2 Deffne den Mund, Herr, deiner Knecht,
Gieb ihn'n Weisheit darneben,
Daß sie dein Wort mög'n sprechen recht,
Was dient zum frommen Leben,
Und nützlich ist zu deinem Preiß,
Gieb uns Hunger nach solcher Speiß,
Das ist unser Begehren.

3 Gieb unserm Herzen auch Verstand,
Erleuchtung hie auf Erden,
Daß dein Wort in uns werd bekannt,
Daß wir fromm mögen werden,
Und leben in Gerechtigkeit,
Achten auf dein Wort allezeit,
So bleibt man unbetrogen.

4 Dein, o Herr! ist das Reich allein,
Und auch die Macht zusammen,
Wir loben dich in der Gemein,
Und danken deinem Namen,
Und bitten dich aus Herzensgrund,
Wollst bey uns seyn zu dieser Stund,
Durch Jesum Christum, Amen.

---

(1)

Du gläubigs Herz, so benedey,
Und gieb Lob deinem Herren,
Gedenk daß er dein Vater sei,
Welchen du stets sollt ehren,
Dieweil du gar kein Stund ohn ihn
Mit aller Sorg in deinem Sinn,
Dein Leben kannst ernähren.

2 Er ist, der dich von Herzen liebt,
Und sein Güt mit dir theilet,
Dir deine Missethat vergiebt,
Und deine Wunden heilet,
Dich wappnet zum geistlichen Krieg,
Daß dir der Feind nicht oben lieg,
Und deinen Schatz zertheilet.

3 Er ist barmherzig und auch gut
Den Armen und Elenden,
Die sich von allem Uebermuth
Zu seiner Wahrheit wenden;

Er nimmt sie als ein Vater auf,
Und schafft daß sie den rechten Lauf
Zur Seligkeit vollenden.

4 Wie sich ein treuer Vater neigt,
Und Guts thut seinen Kindern,
Also hat sich Gott auch gezeigt
Gegen uns armen Sündern.
Er hat uns lieb und ist uns hold,
Vergiebt uns gnädig alle Schuld,
Macht uns zu Ueberwindern.

5 Und giebt uns seinen guten Geist,
Der neuert unsre Herzen,
Durch den wir leisten was er heißt,
Wiewohl mit Liebes=Schmerzen;
Hilft in der Noth mit Gnad und Heil,
Verheißt uns auch ein herrlich Theil
Von den ewigen Schätzen.

6 Nach unsrer Ungerechtigkeit
Hat er uns nicht vergolten,
Sondern barmherzig sich erzeigt,
Da wir verderben sollten.
Mit seiner Gnad und Gütigkeit
Ist er uns und allen bereit,
Die ihm von Herzen holden.

7 Was er aus Lieb ang'fangen hat,
Das will er auch vollenden.
Drum opfern wir uns seiner Gnad
Mit umgegürten Lenden,

Mit Hab' und Gut, auch unser Fleisch,
Hoffen er werd zu seinem Preiß
All unsern Wandel wenden.

8 O Vater, steh uns gnädig bey,
Weil wir seynd im Elende,
Daß unser Thun aufrichtig sey,
Und nehm'n ein seligs Ende;
Leucht uns mit deinem hellen Wort,
Daß uns an diesem dunkeln Ort,
Kein falscher Schein verblende.

9 Herr Gott, nimm an zu Lob und Dank,
Was wir einfältig singen,
Und gieb dein Wort mit freyem Klang,
Laß durch die Herzen dringen,
So hilf daß wir mit deiner Kraft,
Durch recht geistliche Ritterschaft,
Des Lebens Kron erlangen. Amen.

(9)

Du unbegreiflich höchstes Gut,
    An welchem klebt mein Herz und Muth,
Ich dürst, o Lebensquell! nach dir:
Ach hilf! ach lauf! ach komm zu mir!

2 Ich bin ein Hirsch, der dürstig ist
Von großer Hitz: du, Jesu! bist
Für diesen Hirsch ein Seelentrank.
Erquicke mich, dann ich bin krank.

3 Ich schreye zu dir mit der Stimm,
Ich seufze auch, o Herr! vernimm,
Vernimm es doch, du Gnadenquell,
Und labe meine dürre Seel.

4 Ein frisches Wasser fehlet mir,
Herr Jesu! zeuch, zench mich nach dir:
Nach dir ein großer Durst mich treibt,
Ach! wär ich dir nur einverleibt.

5 Wo bist du denn, o Bräutigam?
Wo weidest du, o Gottes Lamm?
An welchem Brünnlein ruhest du?
Mich dürst, ach laß mich auch dazu.

6 Ich kann nicht mehr, ich bin zu schwach,
Ich schreye, durst und ruf dir nach,
Der Durst muß bald gekühlet seyn,
Du bist ja mein und ich bin dein.

(1)

O Sterblicher, betrachte mich!
So lang ich lebt' auf Erden;
Was du jetzt bist, das war auch ich,
Was ich bin wirst du werden;
Du mußt hernach, ich bin vorhin;
Ach! denke nicht in deinem Sinn,
Daß du nicht dürfest sterben.

2 Bereite dich, stirb ab der Welt,
  Denk an die letzten Stunden!
  Wenn man den Tod verächtlich hält,
  Wird er sehr oft befunden.
  Es ist die Reihe heut an mir,
  Wer weiß, vielleicht gilt's morgen dir,
  Ja wohl noch diesen Abend.

3 Sprich nicht: ich bin noch gar zu jung,
  Ich kann noch lange leben!
  Ach nein! du bist schon alt genug,
  Den Geist von dir zu geben;
  Es ist gar bald um dich gethan,
  Es sieht der Tod kein Alter an:
  Wie magst du anders denken?

4 Ach ja! es ist wohl beklagenswerth,
  Es ist wohl zu beweinen,
  Daß mancher nicht sein Heil begehrt,
  Daß mancher Mensch darf meinen:
  Er sterbe nicht in seiner Blüth;
  Da er doch viel Exempel sieht,
  Wie junge Leute sterben.

5 So oft du athmest, muß ein Theil
  Des Lebens von dir wehen;
  Und du verlachst des Todes Pfeil?
  Itz wirst du müssen gehen.
  Du hältst dein Grab auf tausend Schritt,
  Und hast dazu kaum einen Tritt:
  Den Tod trägst du im Busen.

6 Sprich nicht: ich bin frisch und gesund,
Mir schmeckt auch noch das Essen;
Ach! es wird wohl jetzt diese Stund
Dein Sarg dir abgemessen.
Es schneidet dir der schnelle Tod
Ja täglich in die Hand das Brod;
Bereite dich zum Sterben!

7 Dein Leben ist ein Rauch, ein Schaum,
Ein Wachs, ein Schnee, ein Schatten,
Ein Thau, ein Laub, ein leerer Traum,
Ein Gras auf dürren Matten.
Wenn man's am wenigsten gedacht,
So heißt es wohl zu guter Nacht:
Ich bin nun hie gewesen!

8 Indem du lebest, lebe so,
Daß du kannst selig sterben,
Du weißt nicht wann, wie oder wo,
Der Tod um dich wird werben.
Ach! denke doch einmal zurück,
Ein Zug, ein kleiner Augenblick
Führt dich zu'n Ewigkeiten.

9 Du seyst dann fertig oder nicht,
So mußt du gleichwohl wandern,
Wann deines Lebens Ziel anbricht,
Es geht dir, wie den andern.
Drum laß dir's eine Warnung sein,
Dein Auferstehn wird überein
Mit deinem Sterben kommen.

10 Ach! denke nicht: es hat nicht Noth,
    Ich will mich schon bekehren,
    Wann mir die Krankheit zeigt den Tod,
    Gott wird mich wohl erhören.
    Wer weiß, ob du zur Krankheit kömmst?
    Ob du nicht schnell ein Ende nimmst?
    Wer hilft alsdann dir Armen?

11 Zudem, wer sich in Sünden freut,
    Und auf Gnade bauet,
    Der wird mit Unbarmherzigkeit
    Der Höllen anvertrauet.
    Drum lerne sterben, eh' du stirbst!
    Damit du ewig nicht verdirbst,
    Wann Gott die Welt wird richten.

12 Zum Tode mache dich geschickt,
    Gedenk in allen Dingen:
    Werd ich hierüber hingerückt,
    Sollt es mir auch gelingen;
    Wie könnt ich jetzt zu Grabe gehn?
    Wie könnt ich jetzt vor Gott bestehn?
    So wird dein Tod zum Leben.

13 So wirst du, wann mit Feld=Geschrey
    Der große Gott wird kommen,
    Von allem Sterben frank und frey,
    Seyn ewig aufgenommen.
    Bereite dich, auf daß dein Tod
    Beschließe deine Pein und Noth,
    O Mensch! gedenk an's Ende.

(1)

Merkt auf, ihr Christen allzugleich,
Die ihr seyd neu geboren,
Dann Gottes Sohn vom Himmelreich
Ist an dem Kreuz gestorben.
Er hat gelitten Kreuz und Schmach,
Darum laßt uns ihm folgen nach,
Und das Kreuz auf uns nehmen.

2 Welcher Christ nun nachfolgen will,
Und thut alles verlassen,
Ob er schon hat gesündigt viel,
So wird ihm nachgelassen.
So er nur glaubt an Gott allein,
Wird er gemacht von Sünden rein,
Durch das Blut Jesu Christi.

3 Dann welcher glaubt und wird getauft,
Der hat es wohl ang'fangen,
So er nur Christo folget nach,
Derselbig wird empfangen
Die Gaben des heiligen Geists,
Damit er tödten wird sein Fleisch,
Mit Gott wird er Fried haben.

4 Alle, die nun gewaschen seynd
Mit dem Blut Jesu Christi,
Und rein gemacht von aller Sünd,
Ist unser Herz zerknistet,
Daß wir nun wandeln nach dem Geist,
Der uns den rechten Wege weißt,
Denn er soll in uns herrschen.

5 Auf daß da fehr' der sündliche Leib
Der jetzund ist gestorben,
In Christo sind wir eingeleibt,
Und seynd in ihm begraben;
Ja durch die Tauf in seinen Tod,
Daß wir jetzt leben unserm Gott,
Und halten sein Gebote.

6 Wie sollten wir noch Sünder seyn,
Derer wir sind abg'storben?
Dann Christus hat uns g'machet rein,
Mit seinem Blut erworben.
Er leid't für uns den bittern Tod,
Darum lebt er jetzund mit Gott,
Und thut ewig regieren.

* * *

(1)

Merkt auf, ihr Völker allgemein,
Allhie auf dieser Erden,
Ihr seid jung, alt, groß oder klein:
Wollt ihr selig werden,
So müsset ihr von Sündenlohn,
Christo dem Herrn folgen thun,
Nach seinem Willen leben.

2 Dazu Christus auf Erden kam,
Den rechten Weg zu lehren,
Daß man von Sünden ab soll stahn,
Und sich zu ihm bekehren.

Denn er selbst spricht: ich bin der Weg,
Dadurch man zu dem Vater geht,
Die Wahrheit und das Leben.

:: Wer mit ihm will Gemeinschaft hon,
Seins Reichs theilhaftig werden,
Derselb' muß auch desgleichen thun
Allhie auf dieser Erden.
Ja, welcher mit ihm erben will,
Muß hie haben des Leidens viel,
Um seines Namens willen.

4 Welcher nun hie in dieser Zeit
Mit dem Herrn thut sterben,
Der wird auch mit ihm ewig Freud
Ins Vaters Reich ererben.
Wer aber ihm nicht folgen thut,
Den hat auch nicht erlöst sein Blut,
Sein Sünd auch nicht vergeben.

5 Dann wem sein Sünd vergeben ist,
Der soll sie nicht mehr treiben,
Also lehrt uns Herr Jesu Christ,
Sonst größer Pein und Leiden
Ihm wird begegnen zu der Stund,
So er abfiel von Gottes Bund,
Sein Schaden böser würde.

(1)

Wann der Herr die G'fängniß Zion
Wieder von uns wird wenden,
Dann werden sie in Freuden stohn,
Und seyn wie die Träumenden,
Dann wird unser Mund Lachens voll,
Unser Zung sich des rühmen soll,
Und sich von Herzen freuen.

2 Dann wird man daselbst fahen an
Unter den Heiden sagen:
Der Herr hat Groß's an ihn'n gethan,
Deshalb wir groß Freud tragen.
Der Herr hat Groß's an uns vollendt,
O Herr Gott, unser G'fängniß wend,
Wie die Bäch im Mittage.

3 All die mit Weinen säen thun,
Werden mit Freuden erndten,
Sie tragen edlen Samen schon,
Und gehen hin mit Thränen.
Mit Freuden kommens wieder her,
Betrachten ihre Frucht so schwer,
Und bringen ihre Garben.   Amen.

———

(1)

Weil nun die Zeit vorhanden ist,
Daß wir hie müssen scheiden,
So woll uns Gott zu dieser Frist
Genädiglich geleiten,

Daß wir betrachten fort und fort,
Sein jetzt gehörtes heilig Wort,
Und uns mögen bereiten.

2 Wann unversehens kommen wird
Christus am jüngsten Tage,
Der Weltrichter und große Hirt
Uns stell'n zur recht und sage:
Kommt her, ihr seid gebenedeyt,
Ererbt das Reich in Ewigkeit,
Euch rühr hinfort kein Plage.

3 Darum so laßt uns fleißig seyn
Mit Bäten und mit Wachen,
Zur Himmels=Freud aus dieser Pein,
Entgehn der Höllen Rachen,
Und nahen uns zu Gott allein,
Der speiß uns wie die Engel fein,
Woll ihnen uns gleich machen.

4 Dies ist, o Gott! unser Begehr,
Laß uns doch das gelingen,
Daß es gereich zu deiner Ehr;
Wir reden oder singen,
Mit Andacht es im Geist gescheh,
Dem unser Fleisch nicht widersteh,
Hilf uns dasselb bezwingen.

5 Daß es im Geist gehorsam sey
In diesem kurzen Leben,
Mit deiner Gnad uns wohne bey,
Dein Fried uns wollest geben.

2

Halt uns in rechter Einigkeit,
Bewahr dein Volk zu aller Zeit,
Bis du es wirst erheben,

6 Und führen in dein ewig Reich
Mit den himmlischen Schaaren,
Dazu woll uns Gott alle gleich
Behüten und bewahren,
Daß wir mögen geschickt bestehn,
Wann Erd und Himmel wird vergehn,
Und dich wirst offenbaren.

7 Mit Leib und Seel in deine Händ
Thun wir uns dir befehlen,
Bleib du bey uns bis an das End,
So mögen wir nicht fehlen;
Dieweil es muß geschieden seyn,
So laßt uns Gott lobsingen fein,
Einmüthig aus den Kehlen.

8 O Vater, Sohn und Heil'ger Geist,
Einiger Gott mit Namen,
Was du geschaffen allermeist
Soll dich loben zusammen.
Nachdem wir gehn von diesem Ort,
In Lieb erhalt uns immerfort,
Durch Jesum Christum, Amen.

(1)

Sei Lob und Ehr dem höchsten Gut,
  Dem Vater aller Güte,
Dem Gott, der alle Wunder thut,
Dem Gott, der mein Gemüthe
Mit seinem reichen Trost erfüllt,
Dem Gott, der allen Jammer stillt!
Gebt unserm Gott die Ehre!

2 Es danken dir die Himmels=Heer,
  O Herrscher aller Thronen!
Und die auf Erden, Luft und Meer,
In deinem Schatten wohnen,
Die preisen deine Schöpfers=Macht,
Die alles also wohl bedacht.
Gebt unserm Gott die Ehre!

3 Was unser Gott geschaffen hat,
  Das will er auch erhalten,
Darüber will er früh und spat
Mit seiner Güte walten:
In seinem ganzen Königreich,
Ist alles recht und alles gleich.
Gebt unserm Gott die Ehre!

4 Ich rief dem Herrn in meiner Noth:
  Ach Gott vernimm mein Schreyen!
Da half mein Helfer mir vom Tod,
Und ließ mir Trost gedeihen.
Drum dank, ach Gott! drum dank ich dir,
Ach! danket, danket Gott mit mir!
Gebt unserm Gott die Ehre!

5 Der Herr ist noch und nimmer nicht
Von seinem Volk geschieden,
Er bleibet ihre Zuversicht,
Ihr Segen, Heil und Frieden:
Mit Mutter=Händen leitet er
Die Seinen stetig hin und her;
Gebt unserm Gott die Ehre!

6 Wann Trost und Hülf ermangeln muß,
Die alle Welt erzeiget,
So kommt, so hilft der Ueberfluß,
Der Schöpfer selbst, und neiget
Die Vateraugen deme zu,
Der sonsten nirgends findet Ruh.
Gebt unserm Gott die Ehre!

7 Ich will dich all mein Lebenlang,
O Gott! von nun an ehren:
Man soll, o Gott! den Lobgesang
An allen Orten hören.
Mein ganzes Herz ermuntre sich,
Mein Geist und Leib erfreue dich.
Gebt unserm Gott die Ehre!

8 Ihr, die ihr Christi Namen nennt,
Gebt unserm Gott die Ehre!
Ihr, die ihr Gottes Macht bekennt,
Gebt unserm Gott die Ehre!
Die falschen Götzen macht zu Spott,
Der Herr ist Gott, der Herr ist Gott,
Gebt unserm Gott die Ehre!

9 So kommet vor sein Angesicht
Mit jauchzen=vollem Springen,
Bezahlet die gelobte Pflicht,
Und laßt uns fröhlich singen:
Gott hat es alles wohl bedacht,
Und alles, alles recht gemacht.
Gebt unserm Gott die Ehre!

———

(1)

Nun haben wir des Herren Wort
Wiederum aufs neu gehört.
Ach Jesu, liebster Seelenhort,
Schenke daß es fruchtbar werd,
Daß jedes Herz werd aufgeweckt,
Das noch im Schlaf der Sünde steckt,
Und sich zu dir bekehre.

2 Gieß deines Geistes Balsamkraft
In ein jedes Herze aus,
Auf daß doch werd mit Ernst geschafft
Wahre Buß in jedem Haus.
Damit dein süßes Gnaden=Licht
Die große Finsterniß durchbricht,
Die unsre Zeit bedecket.

3 Ach Herr, erneure deine G'mein,
Pflanze Lieb und Einigkeit,
Und tilge den Zertrennungs=Schein,
Tödte die Partheylichkeit;

Laß Lieb und Demuth Herrscher seyn,
Daß sich in deinem Geist allein
Dein ganze G'mein verbinde.

———

(1)

Aus tiefer Noth schrey ich zu dir,
    Herr Gott! erhör mein Klagen,
Dein gnädig Ohr neig her zu mir,
Und laß mich nicht verzagen.
Denn so du willst das sehen an,
Was Sünd und Unrecht ist gethan;
Wer kann, Herr, vor dir bleiben?

2 Bey dir gilt nichts dann Gnad und Gunst,
Die Sünde zu vergeben,
Es ist doch unser Thun umsonst,
Auch in dem besten Leben.
Vor dir niemand sich rühmen kann,
Es muß dich fürchten jedermann,
Und deiner Gnade leben.

3 Darum auf Gott will hoffen ich,
Auf mein Verdienst nicht bauen;
Auf ihn will ich verlassen mich,
Und seiner Güte trauen,
Die mir zusagt sein werthes Wort,
Das ist mein Trost und treuer Hort,
Deß will ich allzeit harren.

4 Und ob es währt bis in die Nacht,
  Und wieder an den Morgen,
  Soll doch mein Herz an Gottes Macht
  Verzweifeln nicht, noch sorgen,
  So thu Israel rechter Art,
  Der aus dem Geist erzeuget ward,
  Und seines Gott's erharre.

5 Ob bey uns ist der Sünden viel,
  Bey Gott ist viel mehr Gnade,
  Sein Hand zu helfen hat kein Ziel,
  Wie groß auch sey der Schade.
  Er ist allein der gute Hirt,
  Der Israel erlösen wird
  Aus seinen Sünden allen.

---

(9)

Ach wann ich ja gedenk daran,
  Wie viele Sünd ich hab gethan,
Wie oft ich meinen Gott betrübt,
Und er mich doch so herzlich liebt.

2 Weil er von meiner Kindheit an,
  Mir so viel Gutes hat gethan;
  So wird mein Herz oft Trauerns voll,
  Weil ich so unbekehrt und toll.

3 Hab meine beste Zeit verschwendt,
  In eignem Willen ganz verblendt,
  Und Gottes Wort so leicht geacht,
  Und nicht mein Pfund in Wechsel bracht.

4 Ja in meinen jungen Jahren,
Zeigtest du mir die Gefahren,
Und riefest mir so väterlich,
Daß ich sollte bekehren mich.

5 Dein heilig Wort sollt nehmen auf,
Und es bezeugen mit der Tauf;
Ach deine Gnad hat endlich doch.
Zerbrochen dieses Treibers Joch.

6 Damit der eigne Wille brach,
Daß ich zuletzt das Jawort sprach;
Ach Jesu, nimm mein Herz und Hand,
Und binde selbst das Liebesband.

7 Nun hab ich ja genommen auf,
Nach deinem Befehl die Wassertauf;
Schenk du doch mir des Geistes Kraft,
Daß ja der Bund sey recht gemacht.

8 Hilf, daß ich ja dein sanftes Joch
Als treues Kind mög tragen doch;
Hilf, daß ich mich verleugne frey,
Daß mich nicht blend die Heucheley.

9 Daß ja die falsche weltlich Ehr
Dein armes Kind doch nicht bethör,
Damit ich wahre Demuth üb,
Und täglich wachs' in deiner Lieb.

10 Ach Jesu! nimm dich meiner an,
Und führe mich die rechte Bahn,
Damit ich in der Wacht getreu,
Und im Gebet beständig sey.

11 Daß ich ein Glied an deinem Leib
   In Wahrheit sey und ewig bleib,
   Und mich dein Geist nehm an der Hand,
   Und führe in das Vaterland,

12 Wo deine Kinder ohne Zahl
   Genießen mit das Abendmahl,
   In lauter Freud und Herrlichkeit,
   Von Ewigkeit zu Ewigkeit.

---

(1)

Ihr Christen seht, daß ihr ausfegt,
   Was sich in euch von Sünden
Und altem Sauerteig noch regt,
   Nichts muß sich deß mehr finden;
Daß ihr ein neuer Teig mögt seyn,
Der ungesäuert sey und rein,
   Ein Teig, der Gott gefalle.

2 Habt doch darauf genaue Acht,
   Daß ihr euch wohl probiret,
Wie ihrs vor Gott in allem macht,
   Und euren Wandel führet.
Ein wenig Sauerteig gar leicht
Den ganzen Teig fortan durchschleicht,
   Daß er wird ganz durchsäuert.

3 Also es mit den Sünden ist:
  Wo eine herrschend bleibet,
  Da bleibt auch, was zu jeder Frist
  Zum Bösen ferner treibet;
  Das Osterlamm im neuen Bund
  Erfordert, daß des Herzens Grund
  Ganz rein von allem werde.

4 Wer Ostern halten will, der muß
  Dabey nicht unterlassen
  Die bittern Salze wahrer Buß,
  Er muß das Böse hassen;
  Daß Christus, unser Osterlamm,
  Für uns geschlacht am Kreuzesstamm,
  Ihn durch sein Blut rein mache.

5 Drum laßt uns nicht im Sauerteig
  Der Bosheit, Ostern essen,
  Noch auf der Schalkheit mancherley,
  Die so tief eingesessen;
  Vielmehr laßt uns die Osterzeit
  Im süßen Teig der Lauterkeit
  Und Wahrheit christlich halten.

6 Herr Jesu, Osterlamm, verleih
  Uns deine Ostergaben,
  Den Frieden, und daß wir dabey
  Ein reines Herze haben!
  Gieb, daß in uns dein heilig's Wort
  Der Sünden Sauerteig hinfort
  Je mehr und mehr ausfege.

(2)

Wir glauben all an einen Gott,
Und lieben ihn von Herzen,
Der im Himmel sein' Wohnung hat,
Sicht allen unsern Schmerzen.

2 Der alle Ding allein erhält,
Muß all's vor ihm verstummen,
Gnädig und mild geg'n aller Welt,
Ein Vater aller Frommen.

3 Niemand der je auf Erden kam,
Mag seiner G'walt entrinnen.
Allmächtig ist sein hoher Nam',
Kein Stärk thut ihm zerrinnen.

4 Er sieht ins Herzens Heimlichkeit,
Gar tief in das Verborgen,
Ja tausend Jahr vor ihm bereit,
Seynd wie der gestrig Morgen.

5 Aus einem Wort hat er gemacht
Den Himmel und die Erden.
Das Meer wie er das hat bedacht,
Und was immer mag werden.

6 Das Firmament zum allerhöchst,
Die Wasser unterscheiden,
Und all's was aus der Erden wächst,
Die Blümlein auf der Haiden.

7 Die Sonn und Mond, auch alle Stern,
  Die Tag und Nacht beleuchten;
  Was fleucht und schwimmt im Wasser gern,
  Und wohnet in dem Feuchten:

8 Das Vieh und die menschlich Figur,
  Thut uns die Schrift verjehen;
  Die geist= und englisch Creatur,
  Und was man nicht kann sehen.

9 Wir glauben auch an Jesum Christ,
  Den Heiland auserkohren,
  Der wahrlich ein Sohn Gottes ist,
  Er heißt der Eingeboren:

10 Sein Ursprung bey dem Vater war,
   Eh' die Welt hat ang'fangen,
   Ein Licht und Glanz gar hell und klar,
   Von Gott ist er ausgangen.

11 Geboren, doch geschaffen nicht,
   Dem Vater gleich im Wesen,
   Durch ihn all Ding war zugericht,
   In ihm soll all's genesen.

12 Er ward zum Fleisch vom heil'gen Geist,
   In Maria der reine,
   In armer G'stalt auch allermeist,
   Ein Mensch wie ander G'meine.

13 Für unser Sünd ans Kreuz gehenkt,
   Unt'r Pontio Pilaten,
   Gestorben und ins Grab versenkt,
   Hinunter zu den Todten.

14 In die Höll gefahren ist,
Als die Apostel sagen,
Erlöset hat zu dieser Frist,
All die gefangen lagen.

15 Erstanden ist am dritten Tag,
Wie von ihm ist geschrieben,
Gestiegen auf als er vermag,
Gen Himmel, und da blieben

16 Zu seines Vaters rechten Hand:
Bald wird er wieder kommen,
Herrlich zu richten alle Land,
Die Bösen und die Frommen.

17 Wir glauben auch in Heil'gen Geist,
Die heimlich Gottes Krafte,
Der aller Herz'n Gedauken weißt,
Giebt ihnen Geistes Safte.

18 Er kommt vom Vater und dem Sohn,
Und wirkt in uns das Leben:
Den wir zugleich thun bäten an,
Göttliche Ehr ihm geben.

19 Er ist, der etwan hat geredt
Durch die heil'ge Propheten,
Vom Heil das jetzt auf Erden geht,
Durch Christum, den Getödten.

20 Wir glauben an ein heilige G'mein,
Ein apostol'sche Kirchen,
Die durch den Heil'gen Geist allein
Besteht, und läßt ihn wirken;

21 Ein Glaub, ein Tauf, dadurch wir seyn
  Gewaschen von den Sünden,
  Mit gutem G'wissen gehn herein,
  Mit Gott uns nur verbinden.

22 Ein Leib, ein Geist, ein Herr und Gott,
  Durch seine Wort die Zarten,
  Zu einer Hoffnung b'rufen hat,
  All' die wir jetzund warten.

23 Auf die verheißne Seligkeit
  Darnach steht uns'r Verlangen,
  Dann wird der Tod in Ewigkeit
  Gebunden und gefangen.

24 Die Todten werden auferstehn,
  Die in der Erd allsammen
  Jetzt liegen, werden vorher gehn,
  Der Herr kennt ihre Namen.

————

(2)

Gelobt sey Gott im höchsten Thron,
  Der uns hat auserkohren,
  Hat uns ein schönen Rock anthon,
  Daß wir seyn neu geboren.

2 Das ist das recht hochzeitlich Kleid
  Damit Gott sein Volk zieret,
  Die Hochzeit 's Lamms ist schon bereit,
  Die Frommen drauf zu führen.

3 Freut euch, ihr liebe Christen all,
Daß euch Gott hat ang'nommen,
Und euch bereit ein'n schönen Saal,
Darin wir sollen kommen,

4 Mit ihm halten das Abendmahl,
Welches er hat bereitet
Denen, die leiden viel Trübsal,
Um Seinetwillen streiten.

5 Freu dich, Zion, du heil'ge G'mein,
Dein Bräut'gam wird schier kommen,
Der dich hat g'macht von Sünden rein,
Das Reich hat er schon g'nommen.

6 Die Stadt, die hat er schon bereit,
Da du sollt sicher wohnen;
Er giebt dir auch ein neues Kleid,
Von reiner Seiden schone.

7 Die Seid ist die Rechtfertigkeit
Der Heilgen hie auf Erden;
Welcher sich jetzt damit bekleidt,
Der muß verachtet werden.

8 Selig ist der da wachen thut,
Und sich allzeit bereitet,
Und hält die Seiden wohl in Hut,
Damit er ist bekleidet.

9 Welcher sich aber nicht bekleidt
Mit dieser reinen Seiden,
Derselb versäumt ein große Freud,
Ewig Pein muß er leiden.

10 Also hat unser König schon
Ein Kleid mit Blut gesprenget,
Der uns aus Gnad hat g'nommen an,
Drum woll'n wir Gott lobsingen.

11 Wann der König aufbrechen wird,
Mit der Posaunen Schalle,
Alsdann werden mit ihm geführt
Die Auserwählten alle.

12 All die ihr Kleid gewaschen han,
Mit Blut wieder besprenget,
Die werden auf die Hochzeit gahn,
Der Bräut'gam wird sie kennen.

13 Dann gleichwie er selbst ist bekleidt,
Also die er hat g'laden,
Die hat er auch mit Fleiß bereit,
Drum mag ihm niemand schaden.

14 Selig seynd, die da g'laden seynd
Zu diesem Abendmahle,
Und also b'harren bis ans End,
In allerley Trübsale.

15 All die behalten dieses Kleid,
In keinem Weg verletzen,
Den'n hat der Herr ein Kron bereit,
Die will er ihn'n aufsetzen.

16 Welcher dies Kleid nicht an wird hon,
Wann der König wird kommen,
Derselb muß zu der Linken stohn,
Die Kron wird ihm genommen.

17 Er wird ihm binden Händ und Füß,
   Weil er nicht ist bekleidet,
   Und werfen in die Finsterniß,
   Von dieser großen Freuden.

18 Darum Zion, du heil'ge G'mein,
   Schau was du hast empfangen,
   Das b'halt und bleib von Sünden rein,
   So wirst die Kron erlangen.

19 Niemand wird krönet vor der Zeit;
   Wer die Kron will gewinnen,
   Der schau daß er nur redlich streit,
   Mit Christo bis ans Ende.

20 All die in Trübsal hie bestohn,
   Und also überwinden,
   Wer will sie scheiden von der Kron?
   Kein Mensch mags ihn'n mehr nehmen.

21 Gott sey Lob, Ehr und Preis gesagt,
   Der uns bekleidt mit Seiden,
   Und hat uns auch würdig gemacht,
   Um Seinetwill'n zu leiden.

22 Wie Christus selbst gelitten hat,
   Da er am Krenz mußt hangen;
   Also es jetzt den Frommen gaht,
   Sie leiden großen Zwangen.

23 Wir bitten dich, o Herre Gott!
   Erlöß all dein' Gefangnen,
   Thu ihn'n Beystand in aller Noth,
   Daß sie die Kron erlangen, Amen.

Der 130ſte Pſalm.

(2)

Herr nicht ſtolz iſt mein Herz doch,
Und meine Augen ſind nicht hoch,
Ich wandle nicht in großem Ding,
Die mir zu wunderbarlich ſind.

2 Wann ſich mein Seel nicht ſetzt noch ſtillt,
So ward mein Geiſt in mir unmild,
Wie einer der entwöhnet iſt,
Allhie von ſeiner Mutter Brüſt.

3 Der Herr iſt der mein Seel erquickt,
Der alle Ding zu rechter Zeit ſchickt;
Iſrael wart' auf ſein Beſcheid
Von nun an bis in Ewigkeit.

---

(2)

Gott führet ein rechtes Gericht,
Und Niemand mags ihm brechen,
Wer hie thut ſeinen Willen nicht,
Deß Urtheil wird er ſprechen.

2 Gnädig biſt du, o Herr, und gut,
Gütiglich läßt dich finden,
Wer hie auf Erd dein Willen thut,
Erkennſt vor deine Kinden.

3 Durch Chriſtum ſag'n wir Lob und Dank,
Für alle ſeine Güten,
Daß er uns unſer Lebenlang
Vor Sünden woll behüten.

4 Der Sünder führt ein schwer Gericht,
  Wird ihn sicher gereuen;
  Von Sünden will er lassen nicht,
  Gott warnet ihn mit Dräuen.

5 So er kommt in sein Herrlichkeit,
  Da ers Gericht wird b'sitzen,
  Dann wird es ihnen werden leid,
  Kein Ausred wird sie schützen.

6 Sein Wort läßt er hie zeigen an,
  Der Mensch soll sich bekehren,
  Glauben dem Wort und taufen lahn,
  Und folgen seinen Lehren.

7 Nun merket auf, ihr Menschenkind,
  Steht ab von euren Sünden.
  Seyd nicht verstockt, gottlos und blind,
  Weil ihr den Arzt möcht finden.

8 Grausam wird es dem Sünder gohn,
  Der sich nicht läßt beschneiden.
  In ewig Pein wird ihn Gott thun,
  Da er muß er bleib'n und leiden.

9 Dann du, Herr, bist ein g'rechter Gott,
  Niemand wirst du betrügen,
  Bewahrest vor dem andern Tod,
  Die dich von Herzen lieben.

10 Du bist, o Herr, ein starker Gott,
  Die Höll hast aufgestoßen,
  Und wirfst darein die gottlos Rott,
  Die deine Kinder hassen.

3*

11. Gott! dein Barmherzigkeit ist groß
Ob den so sich belehren,
Machst sie all ihrer Sünden loß
Durch Jesum Christum unsern Herrn.

12 Gott heißt das ganz menschlich Geschlecht
Ihn fürchten und auch lieben,
Nachfolgen sein'm gerechten Knecht,
In seiner Lehr uns üben.

13 Der Sünder acht's vor einen Spott,
Wenn man ihn Gott heißt lieben,
Welch s ihm wird bringen große Noth,
Gott läßt sich nicht betrügen.

14 Ant'christ lehnt sich mit Schärfe auf,
Ueber die so Gott fürchten.
Ach Herr Gott, wollest sehen drauf,
Deine schwache G'schirrlein stärken.

15 Nun habt Geduld, ihr lieben Kind,
Um meines Namens willen,
Ob ihr schon hie gehasset sind,
Den Kummer will ich stillen.

16 Gott Vater, wollst durch deine Treu
Uns nimmermehr verlassen,
Täglich, o Herr, du uns erneu,
Zu bleiben auf der Straßen.

17 Durch Christum rufen wir zu dir,
Als durch dein Leiden zarte;
Dein Treu und Liebe kennen wir,
Auf dieser Pilgerfahrte.

18 Verlaß uns nicht als deine Kind,
Von jetzt bis an das Ende,
Beut uns dein väterliche Händ,
Daß wir den Lauf vollenden.

19 So wir den Streit vollendet hon,
Dann ist die Kron erlanget,
Die setzt uns auf der Jüngling schon,
So an dem Kreuz gehanget.

20 Das Leiden ist sehr groß und schwer,
Um unsertwillen g'schehen:
Hilf daß wir dir drum danken sehr,
Und dich mit Freuden sehen.

———

(3)

So will ich's aber heben an,
Singen in Gottes Ehr,
Daß man sich lehr auf rechter Bahn,
Nach seinem Wort und Lehr,
Ja nach dem Vorbild Jesu Christ,
Der für uns dar ist geben,
Kein Kön'g seins Gleichen ist.

2 In die Welt hat Gott g'sendet
Sein Wort und Menschheit klar,
Auf Erd all'n Kummer wendet,
Sie nehmen sein nicht wahr;

Sie folgen seiner Lehr nicht nach,
Darum sie müß'n erscheinen
Zum ew'gen G'richt und Schmach.

3 Die sich zu diesem Herren
Verpflichten sicherlich,
Von Sünden sich bekehren,
Zu Lob sein'm Königreich:
Die sind das kön'glich Priesterthum.
Sie suchen nicht ihre Ehre,
Allein ihr's Königs Ruhm.

4 Er hat ein Weib genommen,
Die christlich Kirch im Geist,
Die Liebe hat ihn drungen,
Die er uns auch hat g'leist.
Sein Leben hat er vor uns g'stellt.
Die ihn auch also lieben,
Sind ihm auch auserwählt.

5 Sein Weib ist noch nicht alt genug,
Bis an den jüngsten Tag.
Versprochen war sie ihm die Klug,
Da sie noch in Erden lag.
Sie ist im Geist und Fleisch sein Art,
Ist ihm von Gott versehen,
Eh der König geboren ward.

6 Er hat viel Gäst geladen
Zu seinem Königreich,
Und warnet sie vor Schaden,
Daß Niemand seh hinter sich.

Dann wer des Königs B'ruf veracht,
Solch G'ladne sind nicht werth
Zu essen von seiner Tracht.

7 Er spricht: Viel' sind berufen,
Und Wenig' auserwählt,
Sein Stimm hond sie verschlafen,
Da er sie hat all zählt.
Darum allein die Schuld ist ihr,
Er hat ihn'n angeklopfet,
Gerufen vor ihr'r Thür..

8 Die Braut geht in den Garten,
Ein Kron ist ihr bereit,
Ihrs Braut'gams will sie warten,
Abziehn ihr tödtlich Kleid.
Sie zeucht sich ab von dieser Welt,
Ihr Bräut'gam ist ihr lieber,
Dann alles Gut und Geld.

9 Die Braut sitzt auf dem Wagen,
Will reisen ins Vaterland,
In diesen letzten Tagen,
Groß Jammer geht ihr zu Hand
Vom Fürsten in Egyptenland.
Sie nehmen sie gefangen,
Zu Wasser, Strick und Brand.

10 Was thust du dich so wehren,
Pharo mit Heer so groß,
Daß du nicht willt lahn fahren
Ein Volk, das du nie hast g'noß,

Deß du auch nicht entgolten haft:
Du wirst dich selbst verderben,
Dein Lohn ist ewig Laft.

11 Es ist dir gar vergessen,
Wie es dein'm Vater gieng,
Der sich auch hat vermessen,
Zu widerstehn Gott's Ding.
Darum straft ihn der g'rechte Gott,
Wird sich auch an dir rächen,
Sammt deiner ganzen Rott.

12 Er wird gar bald erscheinen,
Der König vom Himmelreich,
Daß er aufhelf den Seinen,
Herrlich und g'waltiglich.
Er wird auch halten G'richt und Recht
Ein'm Jeden nach sein'n Werken,
Dem Herru und auch dem Knecht.

13 Der Feigenbaum faft grünet,
Der weis't den Sommer aus,
Der Bräutigam bald kommet,
Und führt die Braut zu Haus.
Wer mit ihm will, der sey bereit.
Wer die Zeit will verschlafen,
Bringt sich in ewig Leid.

14 Wacht auf, Arme und Reichen,
Und schlaft doch nicht zu lang,
Laßt euch Christum erleuchten,
Eh euch sein Licht entgang.

Bald wirds Winter und Sabbath seyn,
Der Bräutgam wird zuschließen,
Läßt darnach niemand ein.

———

(3)

Durch Gnad so will ich singen,
   In Gott's Furcht heben an:
Lieb Gott vor allen Dingen,
Den Nächsten auch so schon.
Das ists G'setz und Propheten zwar,
Die soll'n wir treulich halten,
Das sag ich euch fürwahr.

2 Dein'n Nächsten sollt du lieben,
Als dich in Lieb und Leid,
Die Sünd sollt du nicht üben,
Dann es ist große Zeit,
Recht zu thun soll'n wir heben an,
Christo Jesu nachfolgen,
Sein Vorbild sehen an.

3 Dein'n Nächsten sollt du kennen,
Ihm allzeit Guts beweiß;
Ich darf sie dir wohl nennen,
So hör und merl mit Fleiß:
Brüder und Schwestern zu der Stund,
So an Christum thun glauben,
Ang'nommen seinen Bund.

4 Siehst du ihn übertreten,
Ein Sünde an dir thuu,
Freundlich sollt du ihn bäten,
Aus Lieb ihm zeigen an,
Nur zwischen dir und ihm allein,
Thut er sich danu bekehren,
Sollt du zufrieden seyn.

5 Will er dich danu nicht hören,
Und dein Straf nehmen an;
Noch einem thu erklären,
Wie sein Sach sey gethan,
Und straft ihn wieder in geheim.
Will er euch auch nicht hören,
So sagt es der Gemein.

6 Sein Handel sollt anzeigen,
Wenn er entgegen staht.
Wird er sich dann thun neigen,
Und bitten Gott um Gnad,
So traget christliche Geduld;
Thut Gott von Herzen bitten
Für seine Sünd und Schuld.

7 Will er die G'mein nicht hören,
Ihr Straf nicht nehmen an,
Thut die Zeugniß erklären,
Darnach laßts Urtheil gahn:
Verkündt ihm Gottes Plag und Rach,
Wo er in Sünd verharret,
Die ihm wird folgen nach.

8. Von ihm thut euch abscheiden
Wohl zu derselben Stund,
Halt ihn wie einen Heiden,
Wie g'redt hat Christi Mund.
Auch spricht Paulus ohn' Trüg und List;
Thut ihn von euch hinause,
Wer ungehorsam ist.

9 Diese Lieb sollt du tragen
Gegen den Nächsten schon,
Nicht hinterred noch klagen,
Wann er hat Uebels than,
Du hast ihn dann gestrafet nun,
Wie Christ und Paulus lehret.
Sonst wirst du dich vergohn.

10 Dein Nächsten sollt du lieben,
Sein'r Noth dich nehmen an,
Das findst du llar geschrieben,
Römer am zwölften stahn.
Es zeigt Johannes offenbar,
Einander herzlich lieben;
Petrus meldts auch gar klar.

11 Die Lieb unsers Herren
Ist freundlich Jedermann,
Viel Guts thut sie gebären,
Die Last hilft tragen thun,
Beweist darin'n den höchsten Fleiß
Geg'n Jedermann auf Erden,
Nach ihres Vaters Weis'.

12 Eigne Lieb sollt du hassen,
   Wie uns auch Christus lehrt,
   Den Reichthum gleichermaßen.
   Was dein'n Nächsten beschwert,
   Das sollt du unterlassen schon;
   Was du von mir willt haben,
   Sollt auch ein'm Andern thun.

———

(3)

Herr Gott thu mich erhören,
   Elend und arm bin ich,
Neig zu mir deine Ohren,
   Bewahr mein Seel, bitt ich.
Hilf Herre Gott dem deinen Knecht,
Daun ich thu mich verlassen
Gänzlich auf deine Recht.

2 Herr! sey mir gnädig rechte,
   Täglich ruf ich zu dir,
   Tröst die Seel deines Knechtes,
   Mein Seel heb ich zu dir;
   Dann du bist gnädig und ganz gut,
   Von Tren und großer Güte,
   Dem, der dich suchen thut.

3 Dein Knecht thut zu dir schreyen,
   Herr, mein Gebät vernimm,
   Ich hoff auf deine Treue,
   Herr Gott, erhör mein Stimm.

Zur Zeit der Noth ruf ich dich an,
Du wollest mich erretten,
Und wollst mir Beystand thuu.

4 Niemand wird dir gleich funden,
Unter den Göttern schon,
Der schaffen kann die Wunder,
Die du, Herr, hast gethon.
All Heiden die du hast gestalt,
Werden vor dir erscheinen,
Anbäten deine G'walt.

5 Und deinen Namen preisen,
Daß dein G'walt mächtig ist,
Und thust Wunder beweisen,
Und Gott alleinig bist.
Den rechten Weg zeig du mir an,
Daß ich bleib bei deiner Furchte,
In deiner Wahrheit schon.

6 Mein Gott! dir will ich dauken
Von ganzem Herzen mein,
Und ewig ohne Wanken
Loben den Namen dein.
Dein Güte ist groß über mich,
Aus der Höll hast mich errett,
Drum will ich loben dich.

7 O Gott! die stolzen Knaben,
Legen mir auf viel Quäl!
In diesen letzten Tagen,
Stellen nach meiner Seel;

Sie bleiben nicht in deiner Furcht,
Haben dich nicht vor Augen,
Verachten deine Wort.

8 Aber, Herr, du bist gnädig,
Von großer Treu und Güt,
Barmherzig und langmüthig,
Der mich in Trübsal b'hüt.
Wend dich zu mir, o Herre Gott,
Sey mir allzeit genädig,
Stärk mich in aller Noth.

9 Herr Gott, hilf überwinden
Dem Sohne deiner Magd,
Und hilf mir durch Herdringen
Mit deiner großen Kraft.
Gieb, Herre Gott, dein'm Knecht bereit,
In deinem Wort zu leben,
Bis in die Ewigkeit.

10 Herr, wollst mich nicht verlassen,
Hilf mir aus Trübsal bald,
Daß Alle die mich hassen,
Sehen dein große G'walt,
Daß du allein der Richter bist,
Und bist mir beygestanden,
Tröst mich zu aller Frist.

11 Drum will ich dir lobsingen,
Von ganzem Herzen mein,
Und dir das Opfer bringen,
Zu Lob dem Namen dein.

Dann du bist sein alleinig werth,
Lob, Ehr und Preis zu nehmen,
Im Himmel und auf Erd. Amen.

———

(3)

Von Herzen will ich loben
  Den Allerhöchsten Gott,
Im Himmel hoch dort oben,
Er hilft aus aller Noth.
Durch Christum hat er uns erlöst
Von ewiglichen Schmerzen,
Da wir noch Feind seyn g'west.

2 Seht an die große Liebe,
Die Christus zu uns hat,
Daß er sich selbst hat geben
Für uns bis in den Tod.
Durch ihn sind wir worden gesund
All die an ihn thun glauben,
Und halten seinen Bund.

3 Die Sünd hat er vergeben,
Aus laut'r Barmherzigkeit,
Und verheißt uns das Leben,
Die ewig Seligkeit,
So wir bleiben in seinem Wort,
Und lieben ihn von Herzen,
Wie er's geboten hat.

4 Wer sein Gebot thut halten
In diesem Jammerthal,
Die Lieb nicht läßt erkalten,
Wenn er kommt in Trübsal,
Welcher verharret bis ans End,
Der ist schon selig worden,
So er Christum bekennt.

5 Darum, ihr Christen alle,
Nun greifets tapfer an,
Laßt uns mit reichem Schalle
Christum bekennen thuu.
Ob es schon kostet Leib und Gut,
Woll'n wirs auf Christum wagen,
Es kommt uns all's zu gut.

6 Dann Gott hat uns bereitet,
Ein' Freud, die ewig bleibt,
Drum laßt uns redlich streiten
Auf Erd eine kleine Zeit,
Daß wir erlang'n die ewig Kron,
Die uns der Vat'r will geben
Mit Christo seinem Sohn.

7 Gott hat uns auch verheißen
Durch seinen heil'gen Geist,
Er woll uns Hülf beweisen,
In Trübsal allermeist.
Wenn wir sein'n Namen rufen an,
So will er uns erretten,
Und wir ihn preisen thuu.

8 Seyd frisch und unverzaget,
Ihr liebe Christen all,
Ob uns die Welt verjaget,
In diesem Jammerthal,
So ist das Leiden hie auf Erd,
Darin uns Gott probiret,
Der Herrlichkeit nicht werth,

9 Die uns der Herr will geben,
Mit Christo, seinem Sohn,
So wir in diesem Leben
Sein Zücht'gung nehmen an,
Darzu er uns berufen hat,
Daß wir sein'm Sohn gleich werden
Im Leben und im Tod.

10 Wer Christo gleich will werden
In seiner Herrlichkeit,
Der muß vor hie auf Erden
Wandeln zu aller Zeit,
Wie Christus selbst gewandelt hat,
In G'rechtigkeit und Wahrheit,
Darzu in Freundlichkeit.

11 Dennoch ward er geschlagen
Ans Kreuz von diesem G'schlecht,
Welches in diesen Tagen
Verfolget seinen Knecht.
Welcher jetzt Christo folget nach,
Der muß von dieser Welte
Leiden viel Spott und Schmach.

4

12 Dieweil's unserm Vorgänger
  Also ergangen ist,
  So wiß'n wir daß der Jünger
  Nicht übern Meister ist.
  Drum woll'n wirs willig nehmen an,
  Denn wer Christum bekennet,
  Dem muß es also gohn.

———

(4)

Wach auf, wach auf, o Menschenkind!
  Von deinem Schlaf steh auf geschwind,
  Wie bist du so verdrossen?
  Willt du diesen Tag müßig stohn,
  Und nicht ins Herren Weinberg gohn,
  Der dich hat b'rufen lassen?

2 Ist doch Gott gar ein freundlich Mann,
  Der den Weinberg hat aufgethan.
  All die zu ihm thun kommen,
  Und arbeiten die kleine Zeit,
  Den'n wird er bald ein ewig Freud
  Geben mit allen Frommen.

3 Wie seyd ihr so gar schläfrig Leut,
  Daß ihr nicht mögt die kleine Zeit
  Die Last mit Willen tragen.
  Da ewig Freud der Taglohn ist,
  Währt es doch nur eine kleine Frist,
  Geneigt hat sich der Tage.

4 O Menſch! laß dirs zu Herzen gohn,
   Sieh die frommen Altväter an,
   Hond die Laſt auf ſich g'nommen,
   Tragen viel Jahr und manchen Tag,
   Und ſind dennoch nicht worden ſchwach,
   Bis ſie zur Ruh ſeynd kommen.

5 Darzn unſer Herr Jeſus Chriſt,
   Der unſer Mittler worden iſt,
   Hat uns ſein Wort gelaſſen,
   Und uns damit gezeiget an
   Den Weg in dieſem Weinberg ſchon,
   Und uns gebahnt die Straßen.

6 Wiewohl er ein Sohn Gottes ward,
   Hat er ein Laſt ganz ſchwer und hart,
   Für unſre Sünd-getragen;
   Wiewohl er ſelbſt war g'recht und fromm,
   Hat er doch ſolchs aus Lieb gethon,
   Da er ans Krenz ward g'ſchlagen.

7 An ſeinem Leib er tragen hat
   All unſer Sünd und Miſſethat,
   Daß wir der Sünd abkämen,
   Und lebten nun der G'rechtigkeit,
   Darum, o Menſch, laß dir ſeyn leid
   Dein Sünd, und thu ſie nimmer.

8 Gedenk wie Chriſtus g'litten hat
   Für deine Sünd ein bittern Tod,
   Daß du mit ihm mögſt leben.
   Darum, o Menſch, kehr dich behend
   Von deiner Miſſethat und Sünd,
   So werdens dir vergeben.

9 Dann Christus spricht, ohn allen Schein:
Kommt all die ihr beschweret seyn,
Thut euch her zu mir schicken,
Ziehet mein Joch, dann es ist leicht,
Und nehmet meine Last auf euch,
So will ich euch erquicken.

———

(4)

Ach! wie so lieblich und wie fein
Ist es, wann Brüder einig seyn,
Im Glauben und in Liebe,
Wenn sie einander können recht
Die Füß waschen als treue Knecht,
Aus Herzens-Demuths-Triebe.

2 Dies ist köstlich und Ehrens werth,
Weil selbst der Herr auf dieser Erd
Die Füß g'waschen aus Liebe:
Den Jüngern hat gezeiget auch,
Wie er aus Liebe diesen Brauch
Gestift aus Demuths-Triebe.

3 Und auch dabey gesprochen hat:
Ich bin ein Meister in der That,
Wie ihr mich auch erkennet;
Ein Fürbild ich euch nun gemacht,
Aus Liebe in derselben Nacht,
Als Judas sich getrennet:

4 Daß ihr sollt im Gedächtniß han,
  Was euer Meister hat gethan,
  Und was er euch geheißen,
  Wie ihr einander lieben sollt,
  Und nur sich keiner trennen wollt,
  Wie Judas, der Verräther.

5 So laßt uns dann bedenken recht,
  In dieser Stund als treue Knecht,
  Was Fußwaschen bedeutet,
  Damit wir doch in Demuth auch,
  Aus Lieb begehen diesen Brauch,
  Uns schicken zu dem Leiden;

6 Und auch zu wahrer Einigkeit
  Einander lieben ohne Neid,
  In Demuth recht von Herzen:
  Ach daß kein Judas sey dabey,
  Der dieses thu aus Heucheley,
  Welches der Seel macht Schmerzen.

7 Dann wer sein Fuß will waschen lahn,
  Muß merken wie's der Herr gethan,
  Und muß dabey gedenken,
  Wie nöthig sey die Reinigung
  Der Seelen und die Heiligung,
  Gewaschen von dem Herren.

8 Denn wer nicht will gewaschen seyn
  Vom Herren und seiner Gemein,
  Der hat kein Theil im Leben;

Wird bleiben in der Eigenheit,
Und seine Seel in Ewigkeit
Wird seyn ein dürrer Reben.

9 Nun denn, Herr Jesu, mach uns gleich,
Zu grünen Reben in deinem Reich,
Und auch in deiner G'meine;
Erfülle uns mit Fried und Lieb,
Durch deines wahren Geistes Trieb,
Zu folgen dir alleine.

10 Daß wir auch ferner deinen Tod,
Wie auch dein große Angst und Noth,
Verkündigen gar eben,
Und dein Brod brechen, auch dabey
Erkennen was Gemeinschaft sey,
Mit deinem wahren Leben.

11 Nun dann, Herr Jesu, zum Beschluß,
Schenk dazu deines Geistes Guß,
Jetzund kräftig von oben;
So wollen wir in dieser Stund,
Aus unserm ganzen Herzensgrund,
Dein große Lieb noch loben.

———

(4)

Für Gott, den Herren, woll'n wir gohn,
Und ihn im Geist anbeten thun,
Aus unsers Herzens Grunde.
Dann er erkennt zu aller Frist,
Was seinem Volk vonnöthen ist,
Giebts ihm zu aller Stunde.

2 Nun sollt du aber merken wohl,
Wie man vor Gott recht bäten soll,
Nach seines Herzens Willen.
Von allen Sünden sollt du stahn,
In seiner Wahrheit leben thun,
So wirst sein Wort erfüllen.

3 Gott's Wesen ist die Reinigkeit,
Kein' Sünder er bey ihm nicht leidt,
Sondern allein die Frommen,
Die hie thun nach dem Willen sein,
Und meiden allen bösen Schein,
Werden von ihm ang'nommen.

4 Dann weil du in den Sünden lebst,
Sein'm Willen allzeit widerstrebst,
Magst dich zu Gott nicht nahen,
Daß du an Creaturen hangst,
Von ihm sein Gab du nicht erlangst,
Kein Sünder thuts empfahen.

5 Darzu noch Christus kommen ist,
Daß er uns hie in dieser Frist
Der Sünden woll entladen,
Wer sich unter sein Kreuz ergeit,
Darunter willig duld und leidt,
Dem wird geheilt sein Schaden.

6 Darum so greif die Wahrheit an,
Und thu von allen Sünden stahn,
Dein eigen Leben hassen;

So bist du auf der rechten Bahn,
Als Christus der Herr zeigt an,
Man soll die Welt verlassen.

7 Wann du das thust und lebest recht,
Er dich mit seiner Gnad umfägbt,
Die wird dich wohl geleiten,
Aus aller Sünd, Ung'rechtigkeit,
Damit du auch wirst zubereit,
Wider die Sünd zu streiten.

8 Gottes Gnad ist der Heilig Geist,
Welcher auch hie der Tröster heißt,
Derselb wird dich vertreten,
Mit Sehnen und mit Seufzen sehr,
Dich berichten christlicher Lehr,
Zu Gott lehrt er dich bäten.

9 Der Heilig Geist der ist das Pfand,
Zu unserm Erbtheil hergesandt,
Hat uns Christus erworben
Durch Leiden an dem Kreuze sein,
Damit uns g'holfen von der Pein,
Daß wir nicht sind verdorben.

10 So dich nun führt der Heilig Geist,
Daß du nicht mehr in Sünden leist;
Hat dich Gott neu geboren
In Christo Jesu seinem Sohn,
Indem du bist genommen an,
Zu seinem Kind erkohren.

11 Alsdann magst du recht vor Gott gahn,
Und ihn wahrhaftig bäten an,
Dann er wird dich erhören,
In Christo Jesu seinem Sohn,
Was du in dem begehrest nun,
Deß will er dich gewähren.

12 Das Lob auch Gott gefallen thut,
Welches da g'schicht aus reinem Muth,
Sein Geist thut es gebären,
Wann er die Herzen füllet voll,
Gott in Gott man anbäten soll,
Ihm geben Lob und Ehre.

13 Darum so bleib auf dieser Bahn,
Und thu zu keiner Seiten gahn,
So wird 'r dir g'wißlich geben
All's was dir wird vonnöthen seyn,
Gottes Reich wirst du nehmen ein.
Darinnen ewig leben.

14 Dazu hilf uns der ewig Gott,
Der alle Ding geschaffen hat,
Im Himmel und auf Erden,
Das seynd all Creaturen g'mein,
Es lob' ihn alles, Groß und Klein.
Dem Herrn g'hört die Ehre.   Amen.

(4)

Geh aus, mein Herz, und suche Freud,
In dieser lieben Sommer-Zeit,
An deines Gottes Gaben:
Schau an der schönen Gärten Zier,
Und siehe wie sie mir und dir
Sich ausgeschmücket haben.

2 Die Bäume stehen voller Laub,
Das Erdreich decket seinen Staub
Mit einem grünen Kleide.
Narcissen und die Tulipan,
Die ziehen sich viel schöner an,
Als Salomonis Seide.

3 Die Lerche schwingt sich in die Luft,
Das Täublein fleucht aus seiner Kluft,
Und macht sich in die Wälder:
Die hochbegabte Nachtigall
Ergötzt und füllt mit ihrem Schall
Berg, Hügel, Thal und Felder.

4 Die Glucke führt ihr Völklein aus,
Der Storch baut und bewohnt sein Haus,
Das Schwälblein speißt die Jungen:
Der schnelle Hirsch, das leichte Reh,
Ist froh und kommt aus seiner Höh
Ins tiefe Gras gesprungen.

5 Die Bächlein rauschen in dem Sand,
Und mahlen sich an ihrem Rand
Mit schattenreichen Myrthen:

Die Wiesen liegen hart dabey,
Und klingen ganz von Lustgeschrey
Der Schaaf und ihrer Hirten.

6 Die unverdroßne Bienenschaar
Fleucht hin und her, sucht hier und dar
Ihr edle Honig-Speise:
Des süßen Weinstocks starker Saft
Bringt täglich neue Stärk und Kraft
In seinem schwachen Reise.

7 Der Weizen wächset mit Gewalt,
Darüber jauchzet Jung und Alt,
Und rühmt die große Güte
Deß, der so überflüssig labt,
Und mit so manchem Gut begabt
Das menschliche Gemüthe.

8 Ich selber kann und mag nicht ruhn,
Des großen Gottes großes Thun
Erweckt mir alle Sinnen:
Ich singe mit, wann Alles singt,
Und lasse, was dem Höchsten klingt,
Aus meinem Herzen rinnen.

9 Ach, denk' ich, bist du hier so schön,
Und lässest uns so lieblich gehn
Auf dieser armen Erden;
Was will doch wohl, nach dieser Welt,
Dort in dem vesten Himmels-Zelt,
Und güldnem Schlosse werden.

10 Welch hohe Lust, welch hoher Schein
    Wird wohl in Christi Garten seyn,
    Wie wird es da wohl klingen,
    Da so viel tausend Seraphim
    Mit unverdroßnem Mund und Stimm
    Ihr Hallelujah singen.

11 O wär'·ich da! so stünd ich schon,
    Ach süßer Gott, vor deinem Thron,
    Und trüge meine Palmen:
    So wollt ich nach der Engel Weis'
    Erhöhen deines Namens Preis
    Mit tausend schönen Psalmen.

12 Doch gleichwohl will ich, weil ich noch
    Hie trage dieses Leibes Joch,
    Auch nicht gar stille schweigen,
    Mein Herze soll sich fort und fort
    An diesem und an allem Ort
    Zu deinem Lobe neigen.

13 Hilf mir, und segne meinen Geist
    Mit Segen, der vom Himmel fleußt,
    Daß ich dir stetig blühe:
    Gieb, daß der Sommer deiner Gnad
    In meiner Seelen früh und spat
    Viel Glaubens=Früchte ziehe.

14 Mach in mir deinem Geiste Raum,
    Daß ich dir werd ein guter Baum,
    Und laß mich wohl bekleiden:

Verleihe, daß zu deinem Ruhm
Ich deines Gartens schöne Blum
Und Pflanze möge bleiben.

15 Erwähle mich zum Paradeis,
Und laß mich bis zur letzten Reif'
An Leib und Seele grünen;
So will ich dir und deiner Ehr
Allein, und sonsten keinem mehr,
Hier und dort ewig dienen.

———

(4)

Die Lieb ist kalt jetzt in der Welt,
Ihr weder Jung noch Alt nachstellt,
Zu Grund will sie ganz fahren,
So sie doch ist des G'setzes End,
Wer die recht wißt, auch Gott erkennt,
Wird auch bald neu geboren.

2 Freundlich ist sie zwar in Geduld,
Ohn Eifer nimmt hin alle Schuld
Auf sich mit ganzem Willen,
Sie widerstreit noch zauket nicht,
Bläht sich nicht weit, ist Langmuths sitt,
Thut allen Hader stillen.

3 Hat züchtig G'berd, nicht schandbar redt,
Stellt sich nicht schwer, haßt das Gespött,
Thut auch nicht Eignes suchen,

Nicht bitter ist noch zornig gech,
Daß alle Ding zum Guten sprech,
Enthält sich alles Fluchen.

4 Des Unrechts freut sie sich gar nicht,
Am Argen und auch am Unfried
Hat sie gar kein Gefallen.
Der Wahrheit g'schwind freut sie sich sehr,
Deckt zu die Sünd, und hält die Lehr
Und Gott's Befehl in allen.

5 All Ding sie duld und gern verträgt,
Niemand beschuldt, aber bewegt
All Sach nach rechtem G'müthe,
Sie vertrant all Ding und hofft all's,
Duld ist ihr Ring, streckt gar den Hals,
Daß sie Unfried verhüte.

6 Ganz nimmermehr die Lieb vergeht,
Hört all's auf, sie allein besteht,
Kann uns zur Hochzeit kleiden.
Gott ist die Lieb, die Lieb ist Gott,
Hilft spät und früh aus aller Noth,
Wer mag uns von dir scheiden?

7 All Kunst bläht auf, die Lieb nur baut,
Geht all's zu Hanf was sie nicht schaut
Und ordentlich regieret.
O Lieb! o Lieb! mit deiner Hand
Führ uns mit dir am Liebes=Band,
Dann falsche Lieb verführet.   Amen.

(4)

Herr, starker Gott, ins Himmels Thron,
Ich bitt dich durch dein lieben Sohn,
Hilf uns zu diesen Zeiten;
Weil wir, Herr, stehn auf glattem Eis
Und um uns liegen ringesweis,
Die Feind auf allen Seiten.

2 Auf diesem Weg hab ich drey Feind,
Die mir allzeit zuwider seynd,
Der Teufel und die Welte,
Dazu mein eigen Fleisch und Blut.
O Gott! halt mich in deiner Huth,
Ob mir ein Fuß entgelte.

3 Noch hab ich allen abgesagt,
Auf dein Barmherzigkeit gewagt,
Ach Gott! hilf mir sie zwingen,
Nach deinem Wort, dir Herr zum Preis,
Daß ich nicht fall' auf diesem Eis,
Und mich die Feind umbringen.

4 Sie haben mir gelegt viel Strick,
Und weisen uns allzeit zurück,
Auf Reichthum, Gut und Gelde,
Vom Trübsal dein auf weltlich Glück,
Und schwören daß bey ihrem Eid,
Der Herr hab sie bestellte.

5 Bey ihrem Rathschlag ist mir weh,
Denn sie gehn um mich wie ein Löw,
Ob sie mich möchten schlingen.

Noch halt ich ih'n stets Widerpart,
Da ich, Herr, schon geschlagen ward,
Thätst du mich wieder binden.

———

(5)

Es hatt' ein Mann zween Knaben,
Wie Christus dann vermeld't,
Der ein sein Erb wollt' haben,
Sein Theil von Gut und Geld,
Thät vom Vater begehren,
Daß er's ihm theilen sollt,
Des thät er ihm gewähren,
Weil er's so haben wollt.

2 Da er's nun hat empfangen,
Wollt er sein Muth ganz hon,
Und hat bald angefangen,
Es mit Hur'n zu verthun,
Auch mit Schlemmen und Prassen,
Bis er es gar verthät,
Kein Mangel thät er lassen,
Weil er ein Heller hätt.

3 Er zog fern in ein Lande,
Da er kein Geld mehr hat,
Sich an ein Bürger hangte,
Der Säu zu hüten hat.
Da thät ein Theurung kommen,
Wohl am demselben Ort,
Ich verdirb bald im Hunger,
Sprach er bald diese Wort.

4 Er begehrt auch mit Kleien
Zu füllen seinen Bauch,
Welche man gibt den Säuen,
Und niemand gab's ihm auch;
Da fing er an zu klagen,
Seins Vaters Speiß und Brod,
Er thät auch also sagen,
Viel Knecht mein Vater hat,

5 Die haben Brods die Fülle,
Dazu auch andre Speiß,
Essen wie viel sie wollen,
Es ist bereit mit Fleiß.
Ich will wieder umkehren
Wohl zu dem Vater mein,
Ich will von ihm begehren,
Daß ich sein Knecht mög seyn.

6 Da er sich nun thät nahen
Zu seines Vaters Haus,
Sein Vater ihn bald sahe,
Und lief zu ihm hinaus,
Aber der Sohn thät sagen:
Herzlieber Vater mein,
Vor dir ich g'sündigt habe,
Und in den Himmel hinein.

7 Ich will nicht mehr begehren,
Daß ich dein Sohn soll seyn,
Laß mich nur ein Knecht werden,
Wohl in dem Hause dein.

Er thät sich sein erbarmen,
Gleich zu derselben Stund,
Empfing ihn mit sein'n Armen,
Küß't ihn mit seinem Mund.

8 Er thät auch also sagen :
Mein'n Sohn hatt' ich verlor'n,
Jetzt ich ihn wieder habe,
Er ist mir auserkohr'n.
Und fing sich an zu freuen,
Dazu sein Haus'gesind,
Mit Mahlzeit und mit Reihen,
Mit dem verlornen Kind.

9 Es ist auch Freud im Himmel
Bey Gottes Engeln werth,
Ja über einen Sünder,
Der sich wieder bekehrt,
Mehr denn über viel Frommen,
Die nicht dürfen der Buß,
Daß er thät wieder kommen,
Und folget Christi Fuß.

10 O Mensch ! das vernimm eben,
Die Lehr sollt nehmen an.
Die dir Christus thut geben,
Bey dem verlornen Sohn.
Er ist selber auch gangen,
Für deine Sünd in Tod,
Daß er dich möcht erlangen,
Wieder bringen zu Gott.

11 So thu dich zu ihm kehren,
Und laß von deiner Sünd,
Halt was er dich thut lehren, .
So bist du Gottes Kind;
Du wirst auch mit ihm kommen
Zu seines Vaters Reich,
Da all Heil'gen und Frommen
Werd'n leben ewiglich.

12 Nun woll'n wir Gott den Herrn
Loben zu aller Zeit,
Und seinen Namen ehren,
Bis in die Ewigkeit;
Daß er uns hat thun weisen,
In's Leben aus dem Tod,
Drum sollen wir ihn preisen,
Gelobt seyst du, Herr Gott.

----

(5)

Merkt auf, ihr Menschenkinder,
Und nehmt zu Herzen wohl,
Spricht Gott zu allen Sünder:
Ein jed'r mich fürchten soll.
Ich laß nicht unvergolten
Kein Sünd noch Missethat,
Wer mir nicht dienen wollte,
Der hat bey mir kein Gnad.

5*

2 Doch ist nicht mein Gefallen,
   Daß der Sünder verderb;
   Das aber sag ich Allen:
   Daß ein Jeder fromm werd.
   Bekehret euch von Herzen,
   Ihr Sünder alle gleich,
   Wollt ihr vermeiden Schmerzen,
   Zu mir gehn in mein Reich.

3 Ich bin heilig und reine,
   Wahrhaft, gerecht und gut.
   So will ich hon ein G'meine
   Die meinen Willen thut,
   Kein Sünder will ich hone
   Wohl in dem Reiche mein,
   Niemand will ich verschonen,
   Der Bös muß draußen seyn.

4 Merk was ich gab zu Lohne,
   Den bösen Engelen,
   Für ihr sündliches Thune,
   Band sie mit Kettenen.
   Ich thät ihr'r nicht verschonen,
   Warfs in die ewig Pein.
   Kein Sünder mag bestohne
   Bey mir, dann ich bin rein.

5 Ich thät auch nicht verschonen
   Der ganzen Welt Gemein,
   Da sie nicht Buß wollt thune,
   Vertilgt ich Groß und Klein,

Ich ließ die Sündfluth kommen,
Ueber all Berg und Thal,
Errettet nur die Frommen,
Der war'n acht überall.

6 Mir ist gar nicht gelegen
An einer großen Zahl,
Die Frommen thu ich segnen,
Die Bösen tilg ich bald.
Schau wie thät ich erretten
Den frommen Lot selbst dritt,
Aus den sodomschen Städten,
Die Plag die traf ihn nicht.

7 Die Bösen mußten brennen
In Schwefel und in Feu'r,
Sein Weib blieb auch dahinten,
Ward zu einer Salzsäul.
Sie sollt ihr wohl anschauen,
Soll euch ein Zeichen seyn,
Wer nicht mir thut vertrauen,
Wandelt nur in eiu'm Schein.

8 Ob er sich gleich erzeiget,
Als wollt er auch fromm seyn,
Sein Geld etwa hin eiget,
Dem hilft gar nicht sein Schein.
Niemand kann mich betrügen,
Ich kenn die Herzen wohl,
Ob mir jemand wollt lügen,
Sein Straf der haben soll.

9 Dann ich thu auch probiren
Mein Kinder allgemein,
Durchs Feu'r thu ich sie führen,
Wie das Gold mach ichs rein.
Wer geht in einem Wahne,
Wandelt nur in ein'm Schein,
Mag in der Prob nicht b'stohne,
Ein Schein wird es nur seyn.

10 Kein Sünder mag bestohne
Wohl in der g'rechten G'mein,
Nichts Unrein's wird sie hone,
Sondern ganz heilig seyn.
Darum Gottes Gerichte
Anfäht an seinem Haus,
Daß er die Bösewichte
Und Gleißner treib daraus.

11 So das G'richt thut anfahen
Zuerst an Gottes Haus,
Wann das End wird hernahen,
Wo will es dann hinaus
Mit denen, die nicht gehorchen
Dem Evangelium,
Darzu auch Gott nicht fürchten,
Kein Sünd vermeiden thun.

12 So der Fromm und Gerechte
Gar kaum entrinnen mag,
Was will der gottlos Knechte
Thun an demselben Tag?

So der Herr Rach wird geben
Ja über Alle, die
Nicht nach sein'm Willen leben
Auf dieser Erden hie.

13 Das nehmet wohl zu Herzen,
Ihr Völker allgemein,
Das grün Holz leidet Schmerzen,
Mag des Feu'rs nicht los seyn,
Wie will es dann ergohne
Wohl an dem dürren Holz?
Mit Fen'r muß es vergohne,
Bis gar aus ist sein Stolz.

14 Gott thät Sodom verbrennen,
Um ihr sündliches Thun,
Das sollt ihr wohl vernehmen,
Ist ein Exempel schon
Allen die gottlos leben,
Hernach in dieser Zeit,
Gott wird ihn'n den Lohn geben,
Höllisch Feu'r ist ihn'n b'reit.

15 Darum will ich euch geben
Einen gar guten Rath:
Thut bessern euer Leben,
Steht ab von Missethat.
Dann Christus wird Rach geben
Mit ein'm flammenden Feu'r,
Ueber die gottlos Leben,
In seinem Zorn ungeheur.

16 Jetzt ist er sanft und linde,
   Der Herre Jesus Christ,
   Darum läßt er verkünden
   Sein Wort zu dieser Frist,
   Daß ihr es sollet glauben
   Von Herzen werden fromm,
   Darnach euch lassen taufen,
   Mit ihm machen ein Bund.

17 So ihr es werdet glauben,
   Von Herzen nehmen an,
   Euch darnach lassen taufen,
   All Sünd vermeiden thun:
   So werd't ihr aufgenommen
   Zu Gliedern Christi gleich,
   Mit ihm werdet ihr kommen
   In seines Vaters Reich.

18 Das ist der Weg zum Leben,
   Sonst geht kein Straß hinein,
   Dahin sollet ihr streben,
   Christi Nachfolger seyn,
   Wollt ihr recht Glieder werden,
   An seinem Leib gemein
   Ihr müßt auf dieser Erden
   Von Sünden werden rein.

19 Das wirkt der rechte Glaube,
   Und die wahrhafte Tauf,
   Ihr müßt auch nicht verlaugnen,
   Sondern steif bleiben drauf,

Verharren bis ans Ende,
So werd't ihr selig seyn,
Euch von Gott nicht mehr wenden,
Bis in Tod b'ständig seyn.

20 Welcher also thut leben,
Den hat Gott auserkohrn,
Seine Werk Zeugniß geben,
Daß er ist neu geborn
Aus dem Wasser und Geiste,
Der ist kein Sünder mehr,
Es herrscht nicht mehr sein Fleische,
So wills han Gott der Herr.

———

(5)

Von Herzen woll'n wir singen
In Fried und Einigkeit,
Mit Fleiß und Ernste dringen
Zu der Vollkommenheit,
Daß wir Gott mögen g'fallen,
Worzu er uns will hon,
Das merkt ihr Frommen alle,
Laßt euchs zu Herzen gohn.

2 O Gott! du wollst uns geben,
Itz und zu aller Stund,
In deinem Wort zu leben,
Zu halten deinen Bund,

Wollst uns vollkommen machen,
In Fried und Einigkeit,
Daß du uns findest wachen,
Und allezeit bereit.

3 Wann du nun wirst aufbrechen,
O Herre Jesu Christ!
Zu allen Frommen sprechen:
Kommt her die ihr seyd g'rüst,
Ich will euch mit mir führen,
In meines Vaters Reich,
Darin sollt ihr regieren,
Und leben ewiglich.

4 Im Reich das Gott bereitet,
Da ist groß Einigkeit,
Fried, Freud, zu allen Zeiten,
Ja bis in Ewigkeit.
Woll'n wir das Reich erlangen,
Die große Einigkeit,
Müß'n wirs auf Erd empfangen,
Daß wir werden bereit.

5 Dann unsers Vaters Willen
Müssen wir hie geleich
Auf Erd allzeit erfüllen,
Wie in dem Himmelreich.
Dann also thut uns lehren
Unser Herr Jesus Christ,
Daß wir vollkommen werden,
Wie unser Vater ist.

6 All die ihr nun seyd hoffen,
Zu 'rlangen dieses Reich,
Die Thür die steht schon offen,
Das merlet alle gleich:
Wer das Reich will ererben,
Der muß vor hie auf Erd
Des Fleisches halb gar sterben,
Daß er erneuert werd.

7 Mit Fleiß muß er ausfegen,
Aus seinem Herzen thun,
Den alten Sauerteige,
Dafür einpflanzen schon
Die Tugend Jesu Christi,
Die er uns selber lehrt;
Auf daß er werd gerüstet,
Allzeit auf dieser Erd.

8 So thut zu Herzen fassen
Die Tugend Jesu Christ,
Wie er ihm nicht hat lassen
Dienen zu jeder Frist.
Er spricht: ich bin nicht kommen,
Daß man mir dienen soll,
Sondern für alle Frommen
Mein Leben lassen woll.

9 Damit thut er anzeigen
Demuth und Niedrigkeit,
Dazu die große Liebe,
Die er beweisen thät,

Da er auf Erd ist g'wesen
Bei seinen Jüngern schon,
Die Füß thät er ihn'n wäschen,
Zeigt ihn'n die Liebe an.

10 Also thät er ihn'n sagen:
Laßt euch zu Herzen gohn,
Was ich euch jetzt than habe,
Sollt ihr zum Vorbild han.
Also sollt ihrs erfüllen,
Einander lieben thun,
Das ist meins Vaters Willen,
Kein'r soll den andern lahn.

11 Die Lieb thät er erzeigen
Mit aller seiner Kraft,
Da er von unserntwegen
An das Kreuz ward gehaft;
Die Lieb ist ung'färbt g'wesen
Bey ihm zu aller Zeit,
Alle die wollen g'nesen,
Müssen ihm werden gleich.

12 Woll'n wir Christo gleich werden,
Müssen zu aller Stund,
Einander lieb'n auf Erden,
Ja nicht allein mit Mund.
Sondern mit wahrer Thate,
Wie dann Johannes schreibt:
Welcher nur liebt mit Worten,
Schau wo die Liebe bleibt.

13 Wann ein'r hätt der Welt Güter,
  Gleich wenig oder viel,
  Und säh dabey sein Bruder,
  Daß er Noth leiden will,
  Und thät ihm nicht bald geben
  Die Gab die er empfang'n hat,
  Wie wollt er dann sein Leben
  Vor ihn geben in Tod?

14 Welcher hie in dem Kleinen
  Nicht treu erfunden wird,
  Und suchet noch das Seine,
  Das bey ihm wird gespürt:
  Wer wollt ihm dann vertrauen
  Ueber das ewig Gut?
  Darum laßt uns anschauen
  Die Lieb halten in Hut.

15 Paulus thut uns anzeigen,
  Durch Gottes Gnad mit Fleiß,
  Daß keines such sein eigen,
  Darzu auch nicht sein Preiß,
  Sondern daß wir beweisen
  Demuth und Niedrigkeit,
  Daß wir Gott mögen preisen,
  In Fried und Einigkeit.

16 Darum seyd gleich gesinnet,
  Wie Jesus Christus auch:
  Wiewohl er ist genennet
  Ein Sohn Gottes so hoch,

Hat ers doch nicht geachtet
Sein'm Vater gleich zu seyn,
Sondern mit ·leiß betrachtet.
Unser Diener zu seyn.

17 Dann er hat an sich g'nommen
Eins armen Knechts Gestalt,
Auf Erden ist er kommen,
Verließ sein' große G'walt.
Er thät allzeit beweisen
Demuth und Liebe schon,
Darum laßt uns auch fleißen,
Sein Tugend legen an,

18 Auf daß wir mögen halten
Die Lieb in Reinigkeit,
Auf daß sie nicht erkalte
Bey uns zu keiner Zeit,
Sondern vielmehr zunehme
In uns mit ganzem Fleiß,
Daß wir mögen erkennen,
Was dien zu Gottes Preiß.

19 Drum laßt uns fleißig halten
Die Einigkeit im Geist,
Im Glauben unzerspalten,
Wie uns danu Paulus heißt,
Ja durch das Band des Friedens,
Jetzt und zu aller Zeit,
Weil wir seyn alle Glieder,
Verfaßt in einem Leib.

20 O ihr geliebte Brüder,
  Und Schwestern allgemein!
  Dieweil wir alle Glieder,
  In einem Leibe seyn,
  So laßt uns treu beweisen,
  Einander lieben thun,
  Dadurch wird Gott gepreiset,
  In seinem höchsten Thron.

------

(5)

Christus der Herr ist gangen
  Auf einen Berg gar schon,
  Daselbst hat er ang'fangen,
  Zu dem Volk reden thun,
  Und den'n Verheißung geben,
  Die da geistlich arm seyn,
  Die sollen ewig leben,
  Gottes Reich nehmen ein.

2 Geistlich Armuth, merk eben,
  Das ist gelassen seyn
  In Thun, Lassen und Leben,
  In Creaturen g'mein,
  Welcher nicht thut verlassen
  Haus, Aecker, Weib und Kind,
  Sein eigen Leben hassen,
  Der Gottes Reich nicht findt.

3 Die Wort thut Christus sprechen,
  Daß man gelassen werd,
  Sein Selbstwillen thu brechen
  Allhie auf dieser Erd.
  Alsdann wirst du umfangen
  Mit wahrer G'lassenheit,
  Des Geists Armuth erlangen,
  Die wirkt Ren und das Leid.

4 Selig seynd, die Leid tragen
  Um ihre Sünd gemein,
  Sollen wieder Trost haben,
  Durch Gottes Geist allein.
  Derselbig thut erheben,
  Die niederg'schlagnen G'müth,
  Mit demüthigem Leben,
  Giebt ihn'n z'schmecken sein Güt.

5 Selig seynd, die da leben
  In der Sanftmüthigkeit,
  Das Erdreich wird ihn'n geben,
  Vernimm nach dieser Zeit,
  Wann Gott wieder wird machen
  Neue Himmel und Erd,
  Die werd'n zergehn mit Krachen,
  Und mit dem Feu'r verzehrt.

6 Selig seynd, die da haben
  Hunger, Durst in der Zeit,
  Vernimm nach Gottes Gaben,
  Sie sollen auch bereit.

Von Gott erſättigt werden
Mit Gnad, Barmherzigkeit,
Dieſelb uns hie thut lehren,
Man ſoll nicht tragen Neid.

7 Selig ſeynd, die erzeigen
Auch die Barmherzigkeit,
Gott wird ſich zu ihn'n neigen,
Ihn's wieder geben b'reit,
Zu der beſtimmten Stunde,
Wann da anbricht die Noth,
Daß er durch ſeinen Munde,
Richt Lebendig und Todt.

8 Selig ſeynd auch die Armen
Des Herren ganz und gar,
Sie werden Gott gewahren,
Schauen ſein Ang'ſicht klar.
Dieſe hond angezogen
Das Kleid der Gerechtigkeit,
Sünd und Laſter ſind g'flogen,
Darum wird ihn'n die Freud.

9 Selig ſind die Friedſamen,
Kinder Gottes ſie ſeyn,
Der Heil'ge Geiſt thut wohnen
In ihrem Herzen rein.
Der ſie führet und leitet
In Gottes Wort allein,
Er iſt ihr Kraft zu ſtreiten,
Wider all Sünd gemein.

10 Selig seynd die da werden
   Verfolgt um G'rechtigkeit,
   Die Wahrheit thut uns lehren,
   Ihr ist die ewig Freud,
   Darum, daß sie thun dulden
   Kreutz, Trübsal unde Pein,
   Leben in Gottes Hulde,
   Selig sie sollen seyn.

11 Selig seyd ihr, merk eben,
   So man euch hassen ist,
   Um das gottselig-Leben,
   Lehret der Herre Christ,
   Uebel von euch thut sagen,
   So man doch lügt daran,
   Darum Freud sollt ihr haben,
   Bey Gott ist euer Lohn.

----

(5)

Herzlich thut mich erfreuen
   Die liebe Sommerzeit,
Wann Gott wird schön verneuen
Alles zur Ewigkeit.
Den Himmel und die Erden
Wird Gott neu schaffen gar.
All Creatur soll werden
Ganz herrlich, hübsch und klar.

2 Die Sonn wird neu und reine,
Der Mond und Sternen all
Gar vielmal heller scheinen,
Daß man sich wundern soll.
Das Firmament gemeine
Wird Gott euch schmücken fein,
Das wird er thun alleine,
Zu Freud der Kinder seyn.

3 Also wird Gott neu machen
Alles so wonniglich,
Vor Schönheit wirds gar lachen,
Und alles freuen sich.
Von Gold und Edelsteine
All Ding wird seyn geschmückt,
Mit Perlen groß und kleine,
Als wär es ausgestickt.

4 Kein Zunge kann erreichen
Die ewig Zierheit groß
Man kanns mit nichts vergleichen,
Die Wort sind viel zu blos.
Darum wollen wirs sparen
Bis an den jüngsten Tag:
Dann werden wir erfahren,
Was Gott ist und vermag.

5 Dann Gott wird bald uns alle,
Was je geboren ist,
Durch sein'r Posaunen Schalle
In sein'm Sohn Jesu Christ,

6*

In unserm Fleisch erwecken
Zu großer Herrlichkeit,
Und klärlich uns entdecken
Die Wonn und ewig Freud.

6 Er wird auch nnsre Seelen
Mit neuem Leib anthon,
Sehr herrlich wird umgeben
Gleichwie sein Engel schon,
In Klarheit ewig leben,
Der hellen Sonnen gleich,
Da wir mit Freud danu wohnen,
In unsers Vaters Reich.

7 Sein Engel wird er schicken
Der Herr Christ unser Trost,
Ihm entgegen zu zücken,
Der uns aus Lieb erlößt,
Wird uns gar schön empfangen,
Mit aller heil'gen Schaar,
In seine Arm umfangen,
Und uns erfreuen gar.

8 Da werden wir mit Freuden
Den Heiland schauen an,
Der durch sein Blut und Leiden
Den Himmel aufgethan.
Die lieben Patriarchen,
Propheten allzumal,
Apostel und Getöd'ten,
Bey ihm ein große Zahl.

9 Die werden uns annehmen,
  Als ihre Brüderlein,
  Sich unser gar nicht schämen,
  Uns mengen mitten ein.
  Wir werden alle treten
  Zur Rechten Jesu Christ,
  Als unsern Gott anbäten,
  Der unsers Fleisches ist.

10 Er wird zur rechten Seiten
  Uns freundlich sprechen zu:
  Kommt ihr Gebenedeyten,
  Zu meiner Ehr und Ruh,
  Jetzund soll ihr ererben
  Meins liebsten Vaters Reich,
  Das ich euch thät erwerben,
  Drum seyd ihr Erben gleich.

11 Alsdann wird Gott recht richten
  Die gottlos böse Welt,
  Das höllisch Feu'r soll schlichten
  Die Süud mit baarem Geld,
  Den Teufel und sein Rotte,
  Die Heuchler, Mammons=Knecht,
  Wird Gott zu Schand und Spotte
  Urtheilen nach sein'm Recht.

12 Wird sich gar zornig stellen,
  Wer g'hört zur linken Hand,
  Ein recht gleich Urtheil fällen
  Mit Worten so genannt:

Geht hin, all ihr Verfluchten,
Zum höll'schen Feu'r erkannt,
Ihr Bösen und Verruchten,
Ins Teufels Strick und Band.

13 Also wird Gott erlösen
Uns gar aus aller Noth,
Vom Teufel, allem Bösen,
Von Trübsal, Angst und Spott,
Von Trauern, Weh und Klagen,
Von Krankheit, Schmerz und Leid,
Von Schwermuth, Sorg und Zagen,
Von aller bösen Zeit.

14 Dann wird der Herr Christ führen
Uns, die wir ihm vertraut,
Mit großem Jubiliren,
Zum Vater, seine Braut.
Der wird uns bald schön zieren,
Und freundlich lachen an,
Mit edlem Balsam schmieren,
Mit G'schmuck begaben schon.

15 Die Braut wird Gott neu kleiden
Von seinem eignen G'schmuck,
In güldne Stück und Seiden,
In einem bunten Rock,
Ein gülden Ring anstecken,
Der wahren Lieb zum Pfand,
Ihr Schaam auch wohl zudecken,
Daß sie nicht werd erkannt.

16 Gott wird sich zu uns kehren,
   Ein'm Jeden setzen auf
   Ein güldne Kron der Ehren,
   Uns herzlich lieben drauf,
   Wird uns an sein Brust drücken,
   Freundlich und väterlich,
   An Leib und Seel uns schmücken,
   Mit Gaben säuberlich.

17 Er wird uns fröhlich leiten
   Ins himmlisch Paradeiß,
   Die Hochzeit zubereiten,
   Zu seinem Lob und Preiß.
   Da wird seyn Freud und Wonne,
   In rechter Lieb und Treu,
   Aus Gottes Schatz und Bronne,
   Und täglich werden neu.

18 Da wird man hören klingen
   Die rechten Saitenspiel,
   Die Musik-Kunst wird bringen
   In Gott der Freuden viel.
   Die Engel werden singen,
   All Heil'gen Gottes gleich,
   Von himmelischen Dingen,
   Hoch in dem Himmelreich.

(5)

Ein von Gott geborner Christ
 Wird auch herzlich lieben,
Was von Gott gezeuget ist,
Und ihm treu verblieben.
Wer den Vater liebt und ehrt,
Sollte der wohl hassen,
Was dem Vater angehört?
Das wird er wohl lassen.

2 Wann ein wahres Gotteskind
Solche Menschen siehet,
Die auch Gottes Kinder sind,
O so grünt und blühet
In dem neugebornen Sinn
Lauter holde Liebe;
Es neigt sich zu ihnen hin
Mit dem reinsten Triebe.

3 Wann es nur von Jemand hört,
Der den Vater kennet,
Der den Sohn des Vaters ehrt,
Und ihn Heiland nennet;
So wird eine frohe Lust,
Die mit Lieb verbunden,
In der Gott ergebenen Brust
Innerlich empfunden.

4 Diese Lieb ist allgemein;
Fremde und Bekannte,
Wenn sie Kinder Gottes seyn,
Hält sie für Verwandte.

Ob sie arm sind oder reich,
Edel, hoch, verachtet:
Dieses gilt ihr alles gleich,
Und wird nicht betrachtet.

5 Gottes Bild und Christi Sinn,
Der die Brüder schmücket,
Zieht den Geist zu ihnen hin,
Wann er wird erblicket;
Der verbindet Herz und Herz
So genau zusammen,
Der erhebet himmelwärts
Die geweihten Flammen.

6 Kein Gemüths= und Bluts=Freundschaft
Ist hier zu vergleichen,
Es muß dieser Liebe Kraft
Alle Liebe weichen.
Dies von Gott geknüpfte Band
Wird so hoch geschätzet,
Daß man keinen andern Stand
An die Seite setzet.

7 Trifft Verfolgung, Haß und Neid
Die geliebten Brüder,
So empfindens jederzeit
Die verbund'nen Glieder,
Die mit ihrem Oberhaupt
Fest vereinigt stehen,
Welches ihnen nicht erlaubt
Müßig zuzusehen.

8 Krönet Gott mit Gnad und Heil
Eines seiner Lieben,
So wird andern auch ihr Theil
Davon zugeschrieben.
Jedes ist für sich bereit,
Andern gern zu dienen,
Weil nur Fried und Einigkeit
Unter ihnen grünen.

9 Diese Liebe hilfet auf
Brüdern, die gefallen,
Sie befördert ihren Lauf,
Wann sie schwächlich wallen;
Ja sie strecket sich so weit,
Daß sie auch das Leben
Für die Brüder ist bereit
In den Tod zu geben.

10 Herr! geuß dieses Balsamöl
Reichlich auf die Erde,
Daß ein Herz und eine Seel
Aus den Deinen werde;
Dämpfe Argwohn, Stolz und Neid,
Die den Frieden stören;
Laß uns nicht von Zauk und Streit
Unter Brüdern hören.

(5)

Bedenke, Mensch! das Ende,
  Bedenke deinen Tod
Der Tod kommt oft behende;
Der heute frisch und roth,
Kann morgen und geschwinder
Hinweg gestorben seyn;
Drum bilde dir, o Sünder!
Ein täglich Sterben ein.

2 Bedenke, Mensch! das Ende,
  Bedenke das Gericht:
Es müssen alle Stände
Vor Jesus Angesicht:
Kein Mensch ist ausgenommen,
Hier muß ein Jeder dran,
Und wird den Lohn bekommen,
Nach dem er hat gethan.

3 Bedenke, Mensch! das Ende,
  Der Höllen Angst und Leid,
Daß dich nicht Satan blende,
Mit seiner Eitelkeit:
Hier ist ein kurzes Freuen,
Dort aber ewiglich
Ein kläglich Schmerzensschreyen,
Ach Sünder! hüte dich.

4 Bedenke, Mensch! das Ende,
  Bedenke stets die Zeit,
Daß dich ja nichts abwende
Von jener Herrlichkeit,

Damit vor Gottes Throne
Die Seele wird verpflegt;
Dort ist die Lebenskrone
Den Frommen beygelegt.

5 Herr! lehre mich bedenken
Der Zeiten letzte Zeit,
Daß sich nach dir zu leuken,
Mein Herze sey bereit;
Laß mich den Tod betrachten,
Und deinen Richterstuhl:
Laß mich auch nicht verachten
Der Höllen Feuerpfuhl.

6 Hilf Gott! daß ich in Zeiten
Auf meinen letzten Tag
Mit Buße mich bereiten
Und täglich sterben mag:
Im Tod und vor Gerichte
Steh mir, o Jesu! bey,
Daß ich ins Himmels Lichte
Zu wohnen würdig sey.

———

(5)

Jch war ein kleines Kindlein
Gebor'n auf diese Welt,
Aber mein Sterbensstündlein
Hat mir Gott bald gestellt.

Ich weiß gar nichts zu sagen,
Was Welt ist und ihr Thun:
Ich hab in meinen Tagen
Nur Noth gebracht davon.

2 Mein allerliebster Vater,
Der mich zur Welt gezeugt,
Und mein herzliebste Mutter,
Die mich selbst hat gesäugt,
Die folgen mir zum Grabe,
Mit Seufzen inniglich,
Doch ich war Gottes Gabe,
Die er nun nimmt zu sich.

3 Er nimmt mich auf zu Gnaden,
Zum Erben in sein Reich,
Der Tod kann mir nicht schaden,
Ich bin den Engeln gleich;
Mein Leib wird wieder leben
In Ruh und ew'ger Freud,
Und mit der Seele schweben
In großer Herrlichkeit.

4 Lebt wohl, ihr meine Lieben,
Du Vat'r und Mutterherz,
Was wollt ihr euch betrüben,
Vergesset diesen Schmerz,
Mir ist sehr wohl geschehen,
Ich leb in Wonn und Freud,
Ihr sollt mich wiedersehen
Dort in der Herrlichkeit.

(5)

Fröhlich pfleg ich zu singen,
Wann ich solch Freud betracht,
Und geh in vollem Springen,
Mein Herz vor Freude lacht,
Mein G'müth thut sich hoch schwingen
Von dieser Welt und Macht,
Sehn' mich zu solchen Dingen,
Der Welt ich gar nicht acht.

2 Drum woll'n wir nicht verzagen,
Die jetzt in Trübsal seynd,
Und die die Welt thut plagen,
Ist ihnen spinnefeind.
Sie wollen ihr Kreuz tragen,
In Freuden mit Geduld,
Auf Gottes Wort sich wagen,
Sich trösten seiner Huld.

3 Wer Gottes Reich und Gaben
Mit Gott ererben will,
Der muß hie Trübsal haben,
Verfolgung leiden viel;
Das soll ihn aber laben,
Es währt eine kleine Zeit,
Der Held wird bald her traben,
Sein Hülf ist g'wiß nicht weit.

4 Indeß die Welt mag heucheln,
Gott spotten immerhin,
Und um G'nieß willen schmeicheln,
Klug seyn in ihrem Sinn,

Ihr Sachen listig biegen,
Nachdem der Wind hier geht,
Aus Furcht die Wahrheit schmiegen,
Was jetzt am Tage steht.

5 Man laß die Welt nur toben,
Und redlich laufen an.
Es sitzt im Himmel droben,
Gott Lob, ein starker Mann;
Er wird gar bald aufwachen,
Der ewig strafen kann,
Der Richter aller Sachen,
Er ist schon auf der Bahn.

6 Der Bräut'gam wird bald rufen:
Kommt her, ihr Hochzeitgäst.
Ach Gott! daß wir nicht schliefen,
In Sünden schlummern fest;
Bald hon in unsern Händen
Die Ampel klar und licht,
Und uns nicht dürfen wenden
Von deinem Angesicht.

7 Der König wird bald kommen,
Die Hochzeit=Gäst besehn.
Wer vor ihm wird verstummen,
Dem wirds gar übel gehn.
O Gott! hilf daß ich habe
Das recht hochzeitlich Kleid,
Den Glauben deiner Gabe,
Zu geben rechten B'scheid.

8 Ach Gott! durch deine Güte
Führ mich auf rechter Bahn.
Herr Christ! mich wohl behüte,
Sonst möcht ich irre gahn.
Halt uns im Glauben feste
In dieser bösen Zeit,
Hilf daß ich mich stets rüste
Zur ew'gen Hochzeit-Freud.

9 Hiemit will ich beschließen
Dies fröhlich Sommerlied.
Es wird gar bald aussprießen
Die ewig Sommerblüth,
Das ewig Jahr herfließen.
Gott geb im selben Jahr,
Daß wir der Freud genießen,
Amen, das werde wahr.

———

(5)

Ermuntert euch ihr Frommen!
Zeigt eurer Lampen Schein,
Der Abend ist gekommen,
Die finstre Nacht bricht ein!
Es hat sich aufgemachet
Der Bräutigam mit Pracht,
Auf! bätet, kämpft und wachet,
Bald ist es Mitternacht.

2 Macht eure Lampen fertig,
  Und füllet sie mit Oel,
  Seyd nun des Heils gewärtig,
  Bereitet Leib und Seel.
  Die Wächter Zions schreyen:
  Der Bräutigam ist nah,
  Begegnet ihm in Reihen,
  Und singt Hallelujah!

3 Ihr klugen Jungfrau'n alle,
  Hebt nun das Haupt empor
  Mit Jauchzen und mit Schalle
  Zum frohen Engelchor.
  Die Thür ist aufgeschlossen,
  Die Hochzeit ist bereit;
  Auf, auf, ihr Reichs=Genossen!
  Der Bräut'gam ist nicht weit.

4 Er wird nicht lang verziehen,
  Drum schlaft nicht wieder ein;
  Man sieht die Bäume blühen,
  Der schöne Frühlingsschein
  Verheißt Erquickungszeiten;
  Die Abendröthe zeigt
  Den schönen Tag vom Weiten,
  Vor dem das Dunkle weicht.

5 Wer wollte denn nun schlafen?
  Wer klug ist, der ist wach;
  Gott kommt die Welt zu strafen,
  Zu üben Grimm und Rach

7

An Allen, die nicht wachen,
Und die des Thieres Bild
Anbäten, sammt dem Drachen;
Drum auf! der Löwe brüllt.

6 Begegnet ihm auf Erden,
Ihr, die ihr Zion liebt,
Mit freudigen Geberden,
Und seyd nicht mehr betrübt:
Es sind die Freudenstunden
Gekommen, und der Braut
Wird, weil sie überwunden
Die Krone nun vertraut.

7 Die ihr Geduld getragen,
Und mitgestorben seyd,
Sollt nun nach Kreuz und Klagen,
In Freuden, sonder Leid,
Mitleben und regieren,
Und vor des Lammes Thron
Mit Jauchzen triumphiren
In eurer Siegeskron.

8 Hier sind die Siegespalmen,
Hier ist das weiße Kleid.
Hier steh'n die Weizenhalmen
In Frieden, nach dem Streit.
Und nach den Wintertagen;
Hier grünen die Gebein,
Die dort der Tod erschlagen,
Hier schenkt man Freudenwein.

9 Hier ist die Stadt der Freuden,
  Jerusalem der Ort,
Wo die Erlößten weiden,
  Hier ist die sichre Pfort,
Hier sind die güldnen Gassen,
  Hier ist das Hochzeitmahl,
Hier soll sich niederlassen
  Die Braut im Rosenthal.

10 O Jesu, meine Wonne!
  Komm bald und mach dich auf,
Geh auf, verlangte Sonne!
  Und fördre deinen Lauf.
O Jesu! mach ein Ende,
  Und führ uns durch den Streit!
Wir heben Haupt und Hände
  Nach der Erlösungszeit.

---

(6)

Lebt friedsam, sprach Christus der Herr,
  Zu seinen Auserkohrnen.
Geliebte nehmt dies für ein Lehr,
  Und wollt sein Stimm gern hören.
Das ist geseit, zu ein'm Abscheid
Von mir, wollt fest drinn stehen.
Ob scheid ich gleich, bleibts Herz bey euch,
Bis wir zur Freud eingehen.

2 Ein Herzensweh mir überkam,
Im Scheiden über d' Maßen,
Als ich von euch mein Abschied nahm,
Und dasmals mußt verlassen.
Mein'm Herzen bang, beharrlich lang,
Es bleibt noch unvergessen,
Ob scheid ich gleich, bleibts Herz bey euch,
Wie sollt ich euch vergessen.

3 Nach dem Wesen Christi euch bald,
Gleichwie ihr habt empfangen,
Gebaut auf'm Grund zur recht Gestalt,
Sein Wegen wollt anhangen.
Darin besteht mein Rath, weils geht
Auf ein Scheiden sehr traurig.
Ob scheid ich gleich, bleibts Herz bey euch,
Bis an mein End gedaurig.

4 Es ist ja kund und offenbar,
Wie friedsam wir zusammen
Gelebt han und einmüthig gar,
Gemäß dem Christen-Namen,
Als Kinder Gott's lieblich guts Muths,
Da that mir weh das Scheiden.
Ob scheid ich gleich, bleibts Herz bey euch,
Gottes Lob mehr ausbreiten.

5 Mein liebste Freunde, manche Thrän
Ist mir um euch entfallen,
Diß hat die Lieb zu euch gethan,
Ihr bleibt auch mit euch Allen,

Zu Tag und Nacht in mein Obacht,
Der Herr woll euch bewahren,
Ob scheid ich gleich, bleibts Herz bey euch,
Wollt nichts an Tugend sparen.

6 Und ihr Väter wollt tapfer seyn,
Die G'meine Gott's versorgen,
Die euch nun ist befohlen sein,
Auf daß ihr unverborgen
Die Ehrenkron zu einem Lohn
Auf eurem Haupt mögt tragen.
Ob scheid ich gleich, bleibts Herz bey euch,
Um Gottes Wohlbehagen.

7 Seyd klug und unterthänig fort,
Ihr Jungen all im Leben,
In Eintracht christlichem Accord,
Wollt nach dem besten streben.
Habt euer Freud in dieser Zeit
Stets im Gesetz des Herren,
Ob scheid ich gleich, bleibts Herz bey euch,
Lebt doch nach Gott's Begehren.

8 Kommt doch hier an meins Herzensgrund,
Mit Thränen ists gesungen,
Im Herren bleibet doch gesund,
Ihr Alten und ihr Jungen,
Hüt euch vor Zwist, von Satans List
Woll euch der Herr befreyen.
Ob scheid ich gleich, bleibts Herz bey euch,
Bis wir ewig erfreuen.

3 Gelobet sey Gott, um diß sein Werk,
Daß er kräftig gelenket,
Geht ihr zu dem Gebäte stark
Dann meiner auch gedenket
Im Bäten rein, daß Gott allein
Mich wolle wohl berathen.
Ob scheid ich gleich, bleibts Herz bey euch,
Gott wohn euch bey in Gnaden.

———

(6)

Wer Gott vertraut, hat wohl gebaut
Im Himmel und auf Erden:
Wer sich verläßt auf Jesum Christ,.
Dem muß der Himmel werden:
Darum auf dich all Hoffnung ich
Ganz vest und steif thu setzen.
Herr Jesu Christ, mein Trost du bist
In Todesnoth und Schmerzen.

2 Und wenns gleich wär dem Teufel sehr
Und aller Welt zuwider,
Dannoch so bist du Jesu Christ,
Der sie all schlägt darnieder:
Und wann ich dich nur hab um mich
Mit deinem Geist und Gnaden,
So kann fürwahr mir ganz und gar
Kein Tod noch Teufel schaden.

3 Dein tröst ich mich ganz sicherlich,
  Dann du kannst mirs wohl geben,
  Was mir ist Noth, du treuer Gott,
  Hier und zu jenem Leben.
  Gieb wahre Reu, mein Herz erneu,
  Errette Leib und Seele:
  Ach! höre, Herr! diß mein Begehr,
  Daß mir mein Bitt nicht fehle.

———

(6)

Jesu, der du selig machst,
  Die bußfertigen Herzen,
Sehr gütig bist und nicht verachst;
Hülf uns aus Sündenschmerzen,
Lehr uns mit Fleiß, durch deinen Geist,
Dein rein Wort zu erfüllen,
Nach deines Vaters Willen,
Den neuen Bund und rechten Grund,
Der Seligkeit, vor lang bereit
Allen so dir anhangen;
Und gieb daß wir das all's in dir
Zur Seligkeit erlangen.

2 Christe, du hochwürdige Frucht,
  Im Glauben zu dir kommen,
  Wie du uns hast in deine Zucht
  Durch die Tauf angenommen.

Thu uns das Best, und halt uns fest,
Laß uns von dir nicht weichen,
Nicht mehr der Welt vergleichen;
Schreib uns ins Herz dein neu Gesetz,
Daß wir dein Bund, aus Herzensgrund,
Wirklich lernen erkennen,
Daß wir uns nicht, wie wohl geschicht,
Mit Unrecht Christen nennen.

3 O Jesu, du ewiges Gut!
Laß dich deren erbarmen,
Die du erkauft mit deinem Blut,
Freundlich nimmst in dein Armen.
Halt uns bey dir, lehr und regier,
Leg auf uns deine Hände,
Stärk, und mach uns behende,
Zu thun das Gut nach deinem Muth,
Wie sichs gebührt, dabey man spürt,
Ob wir seyn auserkohren,
Und durch dein Wort, welch's wir gehört,
Innerlich neu geboren.

4 Straf uns nach väterlicher Weis',
Brich unsern bösen Willen,
Und thu in uns, Gott, deinen Fleiß,
Was dir mißfällt zu stillen,
Und leit uns nun, durch deinen Sohn,
Zu tugendreichem Leben.
Täglichen uns zu geben,
Unter dein Joch, und folgen nach

Dem kleinen Heer, welches dein Lehr
Und Wahrheit recht handhabet.
Welch's du auch suchst nach deiner Lust,
Innerlich hast begabet.

5 Hilf du mir, Herr, in Glaubenskraft,
Deinen Segen erlangen,
Und in heiliger Gemeinschaft
Dein Brod und Trank empfangen
Mit Danksagung, Versicherung,
Dem innerlichen Leben,
Zur Dächtniß von dir geben,
Durch Jesum Christ erworben ist,
Stets nehmen zu, bis wir mit Ruh,
Zur Ehr dein'm heil'gen Namen
Gebenedeyt, zur Ewigkeit
Lobsingen mögen, Amen.

---

(6)

Christus das Lamm auf Erden kam,
Nach's Vaters Rath und Willen,
Alles was Gott verheissen hat,
Dasselb thut er erfüllen,
Wie Adams Schuld, uns die Unhuld
Bracht, und göttlichen Zoren,
Dasselbig ist durch Jesum Christ
Wieder versöhnet worden.

2 Auf daß da wird sündlicher Bürd
Der Mensch allhie entladen,
Ist ihm gezeigt ein Arzt bereit,
Christus der heilt den Schaden.
Derselbig hat erworben Gnad
Allen Völkern gemeine,
Wer die will hon, der muß abstohn
Von aller Sünd unreine.

3 Merk Gottes Rath: da von dem Tod
Christus war aufgestanden,
Daß sein Urständ, allhie behend
Kund würd in allen Landen,
Und auch die Gnad, wie er sie hat
Bey dem Vater empfangen;
Sandt er sein' Knecht unter all G'schlecht,
Daß sie's thäten erlangen.

4 Dann also hat göttlicher Rath
Befohlen hie auf Erden,
Daß man sein Wort, an allem Ort,
Zu der Buß soll thun lehren.
Wer dem geglaubt und wird getauft,
Der soll ewiglich leben;
Wer nicht geglaubt, wirds Lebens b'raubt,
Verdammniß wird ihm geben.

5 Aus dem Gehör christlicher Lehr,
Der Glaube thut herkommen,
Alsdann die Tauf gehört darauf,
So man's Wort hat ang'nommen.

Die Tauf da ist in Jesu Christ,
Ein Bund aus gutem G'wissen,
Darnach man ist, hie in der Frist,
Absagen's Teufels Listen.

6 Daß man fortan soll leben thun
In dem göttlichen Willen.
Darzu die Pflicht im Tauf geschicht,
Daß man den soll erfüllen.
Wie einem Mann ist unterthan
Sein Gemahl hie auf Erden,
Also wird man vermählet schon
Im Tauf Christo, dem Herren.

7 Petrus der spricht, im Buch der G'schicht:
Thut Buß und laßt euch taufen
Auf Jesum Christ, derselbig ist
Sünd nachlassen, merke aufe;
So nehmt ihr ein, Verheißung sein,
Der heilig Geist wird geben,
Wer Jesu Christ hie glauben ist,
Der nimmt die Gab zum Leben.

8 Die Tauf auch ist hie in der Frist,
Mit Jesum Christ verleiben.
Das man gebär, das Wort Fleisch werd,
Und thu in ihm beleiben,
Wer die Tauf nimmt, zu Hand ihm kommt
Kreuz, Trübsal und das Leiden,
Wie es dann ist Herr Jesu Christ,
Sein Gliedlein hie bescheiden.

9 Hör Menschenkind, von Lust und Sünd
Mag dich die Tauf nicht waschen,
Sondern allein erzeigt das rein,
Sollt du in Christo fassen.
Sein G'rechtigkeit die ist das Kleid,
Die sollt du hie anlegen,
Von aller Lust, Sünd und Betrug,
Dein Adam aus thun fegen.

10. Vernimm den B'richt: wann Tödtung
g'schicht,
Daß man das Fleisch thut dämmen,
Alsdann man ist von Jesu Christ,
Den lebenden Tauf nehmen,
Dasselbig heißt Fener und Geist,
Thut uns Johannes sagen,
Der macht allein heilig und rein
G'meinschaft mit Gott zu haben.

11 Wer die Tauf hat, der ist in Tod
Christi gepflanzet worden,
All sein Begierd gekreuzigt wird,
Dardurch ist neu geboren.
Deß Geburt ist, in Jesu Christ,
Aus Wasser und Geist g'scheben.
Also es hat göttlicher Rath
In Christo vorgesehen.

12 Also uns ist, Herr Jesu Christ,
Drey Zeugniß hie bescheiden.
Die zwey man heißt Wasser und Geist,
Die dritt, Blut, das ist Leiden.

Gleichwie auch thun in Himmelsthron
Drey in ein Zeugniß geben :
Der Vater 's Wort, an allem Ort,
Der heilig Geist, merk eben.

13 Wer Gottes Reich will haben gleich,
Muß sich also bekehren
Wie ein jung Kind, ohn alle Sünd
Soll er erfunden werden.
Also im Tauf da wird man auf
In die Gemeinschaft g'nommen.
In der Gemein, das sind allein
Die Heiligen und Frommen.

14 Was G'meinschaft ist, in Jesu Christ,
Lern bey dem Leib erkennen,
Darinnen seyn die Glieder g'mein
Gleich Aufenthaltung nehmen,
Also auch ist in Jesu Christ,
Sein G'mein in ihm verschlossen,
Der Liebe sein ist sie allein,
Von seiner Kraft durchflossen.

15 Diese Gemeine, die ist allein
Die christlich Kirch, merk eben,
Ihr Grundfest ist der Herre Christ,
Thut ihr hie die G'walt geben
Durch seinen Geist; was sie beschleußt,
Das ist vor Gott beschlossen,
Diese G'mein ist, durch Jesum Christ
Sünd b'halten und nachlassen.

16 Die Schrift uns b'richt, von Christ Ge-
     schicht,
  Wie er hab angeblasen
  Die Jünger sein, durch den Geist rein,
  Und ihn'n die G'walt gelassen:
  Wem ihr die Sünd allhie entbindt
  Desgleichen werdt behalten,
  Daßelb ist schon, im Himmelsthron
  Beschlossen unzerspalten.

17 Vernimm die G'mein die richt allein
  In himmelischen Sachen,
  Hie in der Zeit, Fried, Einigkeit,
  Thut sie in Christo machen.
  Ihr G'richt allein im Wort thut seyn,
  Wer sich des nicht läßt b'scheiden,
  Herr Jesus Christ uns lehren ist,
  Haltet ihn als ein Heiden.

18 Diese Gemein die hält allein
  Göttliche recht und Sitten,
  Ihr G'meinschaft ist in Jesu Christ,
  Wahrhaftig in sein'm Frieden.
  Gleichwie ein Brod viel Körnlein hat,
  Und zugleich seynd verfasset,
  Also thut sein ein Gott's Gemein,
  Die eigen thuu verlasset.

19 Ein Gott's Gemein kann da nicht seyn,
  Wo man im Geitz thut leben,
  Dann der Herr Christ beym Geitz nicht ist,
  Der Teufel thut ihn geben.

Derselbig nahm das Eigenthum,
Als er sich thät erheben,
Wider den Gott, welcher da hat
Alle Ding machen leben.

20 Darum ihn Gott verstoßen hat
Wohl in der Höllen Grunde,
Weil er ihm gleich in seinem Reich
Wollt seyn zu aller Stunde.
Dann Gott nicht leid, was Hoffart treibt,
Muß sich schnell von ihm kehren,
Das Geschöpf sein soll thm allein,
Geben Preis, Lob und Ehre.

21 Vom Geitz uns b'richt der alten G'schicht,
Das sollt du wohl ermessen:
Israel hatt in der Wüst Brod,
Das ihn'n Gott gab zu essen.
Welcher dann las mehr dann er aß,
Thät es ihm würmig werden.
Bey diesem Brod die geitzig Rott
Man thät erkennen lehren.

22 Im Geitz auch saß Annanias,
Dardurch sich thät betrügen,
Da er sein Geld Petro zugestellt,
Thät er nicht Petro lügen,
Sondern am meist dem heil'gen Geist,
Darum hat er empfangen
Sein Straf von Gott, mußt liegen todt,
Der Judas ist erhangen.

23 Also straft Gott die geitzig Rott,
   Daß er hat frey erschaffen,
   All's was da ist in dieser Frist:
   Wers ihm thut eigen machen,
   Derselbig hat brochen den Rath,
   Des Höchsten Ehr thut stehlen.
   Drum seinen Lohn beym reichen Mann
   Wird haben in der Höllen.

24 Darum allein, heilig und rein,
   Soll seyn die Gott's Gemeine,
   Wie sie dann ist von Jesu Christ
   Durch sein Blut g'machet reine.
   Wer in der G'mein Christi will seyn,
   Der muß gesäubert werden;
   All's was er hat, soll er in Gott
   Brauchen zu seiner Ehre.

25 Auch b'hülflich seyn dem Nächsten dein,
   Wie dir die Gab ist geben,
   Auf daß er mit, als ein Gelied,
   Erhalten werd zum Leben.
   O wie fein ist in Jesu Christ,
   Wo Brüder beysamm seyne,
   Hie in der Zeit in Einigkeit,
   All Ding haben gemeine.

26 Christi Gelied die theilen mit
   Geistlich und leiblich Gaben,
   Darum sie gleich das göttlich Reich,
   Bey ihnen G'meinschaft haben.

Solche Gemein, die ist allein
Zu Gottes Ehr erkohren,
Die kein Person thut sehen an,
Er hat sie neu geboren.

27 Diese Gemein die ist allein
Christo zu G'mahel geben,
Die in der Zeit all Sünd vermeidt,
In Reinigkeit thut leben.
O Gottes G'mein, dein Eh' halt rein,
Laß dir sie nicht zertrennen,
Den Widerspan mit seinem Thun,
Der dir Christen will nehmen.

28 Darum dich kehr von seiner Lehr,
Laß ihn dich nicht betrügen,
Wie Even g'schah, welche da saß
Aufs Teufels List und Lügen.
Obschon die Schlang richt viel und lang,
So laß dich nicht bewegen,
Folg Jesu Christ zu aller Frist,
Wirst ewig mit ihm leben.

29 Also hast schon vernehmen thun
Von der Gottes Gemeine,
Die in der Zeit sich unterscheidt
Von aller Sünd unreine.
Willt du nun seyn in der Gemein,
Theil und g'mein mit ihr haben,
Folg Jesu Christ, der Weg er ist,
So erlangst du die Gaben.

30 Der war und ist zu aller Frist,
Und künftiglich soll kommen;
Den soll bereit in Ewigkeit
Loben all G'schlecht und Zungen.
Die Ehr ihm gebt, was lebt und schwebt
Im Himmel und auf Erden,
Dann alle Knie spat und auch früh
Sollen ihm g'bogen werden.   Amen.

———

(7)

O Gott Vater ins Himmelsthrone
Der du uns hast bereit ein Krone,
So wir in deinem Sohn beleiben,
Mit ihm hie dulden Kreuz und Leiden,
In diesem Leben uns ihm ergeben,
Nach seiner G'meinschaft allzeit streben.

2 In deinem Sohn thust du uns laben,
So wir Gemeinschaft mit ihm haben,
Und seinem Fußpfade nachfolgen,
Thust uns mit deinem Geist versorgen,
Der hilft uns streiten zu allen Zeiten,
Wann der Weltfürst an uns thut reiten.

3 Zu einem Haupt hast du uns geben
Dein lieben Sohn das reine Leben,
Der hat uns vorgebahnt die Straßen,
Daß wir sein G'meinschaft nicht verlaffen.
All so ihn kennen, sich Christen nennen.
Sollen sich seiner G'stalt nicht schämen.

4 Darum, o Christenhäuflein kleine!
  Laßt uns betrachten allgemeine,
  Wie er uns vorgieng hie auf Erden,
  Daß wir ihm auch gleichförmig werden:
  In Lieb und Leiden in sein'm Bund bleiben,
  Seins Fleischs und Bluts hie nicht ver=
      meiden.

5 Also muß man die Speiß vernehmen,
  Der Geist lehr uns die G'meinschaft kennen;
  Von seinem Fleisch und Blut hie essen,
  Der alte Mensch muß gar verwesen,
  Mit seinen Werken, das soll man merken,
  Der Geist Christi muß in uns wirken.

6 Dann Gott thät uns mit ihm versöhnen,
  In seinem Sohn läßt er uns dienen,
  Er ist der Fels und der Ecksteine,
  Gesetzt zum Haus seiner Gemeine;
  Sie ist sein Weib, Gespons und Leibe,
  Dadurch er sein Werl hie thut treiben.

7 Alle Glieder an seinem Leibe,
  Thun sein Werk allezeit hie treiben,
  Nach seinem Willen bis in Tode,
  Sie sind mit Christo hie ein Brode,
  Das Brod ward brochen, wie er gesprochen,
  Am Kreuz für unsere Sünd durchstochen.

8 Christus ist das Brod des Lebens,
  Sein Fleisch und Blut ist für uns geben.

8*

Sein Geist lehrt uns die Speiß recht essen,
Thut uns einen neuen Rock anmessen,
Daß wir ihn kennen, sein Lieb uns brenne,
In diesem Fleisch sein Werk bekennen.

9 Den alten Rock müß'n wir ablegen,
Und den alten Sau'rteig ausfegen,
Daß er sein Werk in uns mög haben,
Der alt Schlauch mag den Wein nicht
  tragen,
Kann ihn nicht fassen, er thut ihn hassen,
Und kann nicht gehn auf dieser Straßen.

10 Darum ihr neugeborne Christen,
Kommt her ohn allen Trug und Listen,
Zu diesem Osterlämmlein schone,
Deß Reich und G'meinschaft bleibt be=
  stohne;
Kommt her mit Freuden, in neuen Kleiden
Das Bös und Gut thut unterscheiden.

11 Dann welcher ist noch unbeschnitten,
Das irdisch Reich noch unvermieden,
Und sich Christo nicht will ergeben,
Steht nicht in einem neuen Leben,
Thut allzeit hinken, von Sünden stinken,
Kann von ihm nicht essen noch trinken.

12 Allein zu diesem Lämmlein kommen,
Die sein Zeugniß hond angenommen;
Sein Geist das Wasser und auch Blute,
Das ist all'r Christen Haab und Gute,

Dran sie sich henken, das alt Fleisch er=
   tränken,
Im Tauf sich ihm freywillig schenken.

13 Christus der läßt sein Wort ausgießen,
Den Brunn des Lebens in uns fließen,
So wir ihm aufthun unsre Herzen,
Und hie nicht fürchten Kreuz und
   Schmerzen.
Er giebt zu Hande, sein Geist zum Pfande.
Der macht uns all sein Wahrheit kannte.

14 Damit hat er uns auserkohren,
Im Geist und Wasser neu geboren;
Sein Blut thut uns von Sünd. ent=
   sprengen,
Wann wir uns mit der Welt nicht mengen.
Und mit ihm sterben, setzt er uns zu Erben,
Wenn er die Welt will mit Plag verderben.

15 So laßt uns nun mit Fleiß aufwachen,
Des Lämmleins G'meinschaft wohl be=
   trachten:
Laßt uns umgürten unsere Lenden,
Den Stab der Wahrheit in unsren Hän=
   den,
Und auch wohl rüsten mit allen Christen,
Ein Süßbrod ohn all'n Trug und Listen.

16 Dann alle Kinder Gott's des Herren
Kommen zu diesem Tisch, und zehren
Wohl von dem Lämmlein Gott's mit Eile
Auf seinem Weg ohn Ziel und Weile,

Nicht dar zu sitzen, das Fleisch muß schwitzen,
Woll'n wir mit ihm das Reich besitzen.

17 Das Lämmlein wird mit Schmerz genossen
Mit bittern Salzen unverdrossen;
Dann wer mit Christo nicht will leiden,
Soll seines Fleischs und Bluts sich meiden;
Wer thut vor Kreuz und Trübsal sorgen,
Dem bleibt der Leib Christi verborgen.

18 Das Lämmlein muß man hie gar essen
Mit aller G'stalt, und nichts vergessen
Von seinem Aufang bis ans Ende,
In Angst und Noth von ihm nicht wenden.
Sich bey ihm halten unzerspalten,
Der Glaub und Lieb muß nicht erkalten.

19 Du mußt mit ihm ein Frembling werden
Ohn Bürgerschaft auf dieser Erden,
Und tragen Leide mit Gedulde,
Ob man dich haßt ohn alle Schulde,
Den Feind sollt lieben, kein Menschen trügen,
Dein Fleisch im Staub der Erden biegen.

20 Du mußt mit ihm auch gehn in Garten,
Des Kelchs nachs Vaters Willen warten.
Also muß man die Speiß vernehmen,
Was überbleibt muß man verbrennen,
Das ist im letzten, in Angst und Nöthen,
Bis man das Fleisch hie gar thut tödten.

(7)

Mich verlangt zu allen Zeiten,
Daß ich gern wär bey frommen Lenten,
Die sich der Treu und Wahrheit fleißen,
Sich davon nicht lassen reißen,
Sondern steif bleiben zu allen Zeiten,
Bey ihrem Gott in allem Leiden.

2 Elend, Armuth und ängstig Leben,
Thut Gott seinem Voll hie geben.
Damit will er sie thuu probieren,
Ob sie ihn in der Wahrheit ehren.
Von Herzensgrunde, als mit dem Munde,
Soll man Gott dienen zu aller Stunde.

3 Welcher nun also wird erfunden,
Der hat schon Zeugniß überkommen,
Daß er recht gläubig sey gewesen,
Von der Höll ist er schon genesen,
Er wird bald kommen zu allen Frommen,
Vom Herren hab ich das vernommen.

4 Darum ihr Völler allgemeine,
Ihr seyd jung, alt, groß oder kleine,
Strebet darnach zu allen Zeiten,
Daß ihr hie mit Christo thut leiden,
Auch mit ihm sterben, so werd ihr erben,
So die andern müssen verderben.

5 Dann Christus, der Herr, thut uns sagen:
Wer mir nachfolgt, muß das Kreuz tragen,

So wir uns recht an ihn thun heuken,
Will uns Gott alles mit ihm schenken,
Zum ersten das Leiden, daruach die Freuden:
Davon mag uns der Teufl nicht scheiden.

6 Darum, ihr Kinder Gottes alle,
Die ihr seyd in viel Trübsale,
Schaut daß ihr dariu'n mögt bestohne,
Halt eine jede stark seine Krone,
Daß ihm nichts werd g'nommen, so wird er
     kommen
Zu dem Herren mit allen Frommen.

7 Noch eins hab ich gar wohl vernommen,
Wer zu dieser Freud will kommen,
Der muß vor hie mit Christo leiden,
Das Gute thun, und das Bös meiden,
Von Herzensgrunde, zu aller Stunde,
Steif halten Gott's Zeugniß und Bunde.

8 Welcher nun hie mit Christo leidet,
Bis an Tod für sein Wort streitet,
Und also mit ihm wird begraben,
Wird Theil an der Urständ haben,
Er wird auch herrschen mit Christo, dem
     Ersten,
In seinem Reich wird er ihn trösten.

9 Für daß er Trübsal hat erlitten,
Redlich für die Wahrheit gestritten,
Für das wird ihn Gott, der Herr, führen,
Da ihn kein Leid mehr mag berühren.

Alles zu sagen, wird er schon haben,
Sein Thränen werden ihm g'waschen abe.

10 Also woll'n wir es lassen bleiben,
Der ewig Gott wohne uns beye,
Er geb uns seiner Gnaden Segen,
Und führ uns in das ewig Leben,
Die frommen Namen, er kennt allsammen
Das g'scheh durch Jesum Christum, Amen.

———

(8)

Komm, o Sünder, laß dich lehren,
Komm und folge Jesu Lehr;
Sie führt ab vom Sündenleben:
Gieb nur dieser Lehr Gehör.

2 Wache auf und nimm zu Herzen
Deines Jesu Ruf und Stimm,
Folge seiner Lehr von Herzen,
Sie führt dich zum Vater hin.

3 Höre auf zu widerstreben
Deines Herzens Gnadenzug,
Dieser Zug der will dich führen
Von der Sünd zu Jesu hin.

4 Folg von innen dieser Stimme,
Und von aussen seinem Wort,
Welches thut den Sünder lehren,
Wie er d' Sünd verlassen soll.

5 Bitte Gott um seine Gnade,
  Der dein Herz verändern kann,
  So geschieht's, daß seine Liebe
  Dir auch schenk ein'n neu'n Sinn.

6 Wirst du diesen Sinn erlangen,
  Der führt dich zur wahren Buß,
  Dein Sündenleben abzulegen,
  Und darüber tragen Leid.

7 Buße heißt, der Sünd absagen
  Und derselben folgen nicht,
  Deinen Willen übergeben
  Jesu Lehre williglich.

8 Jesu lehre nimm zu Herzen,
  Was sein Vater ihm befahl,
  Willig werden hier auf Erden
  Sein Gebote nehmen an.

9 Gottes Ordnung lernen fassen
  Und ihm Glauben nehmen auf,
  Sein Gebot nicht unterlassen,
  Und den Taufbund richten auf.

10 Mit der Taufe sich vermähle
  Als ein' Braut dem Bräutigam,
  Um zu werden hier auf Erden
  Ein Glied in seiner Gemein.

11 Dies hat Jesus so befohlen:
  Welcher glaubt und wird getauft,
  Alsdann soll er selig werden;
  Wer nicht glaubt, wirds Lebens b'raubt.

12 Die Tauf nahm Jesus selber an,
   Wie sein Wort uns zeiget an;
   Was dann Jesus selbst gethane,
   Muß bußfertig nehmen an.

13 Wer bußfertig wird getaufet,
   Soll ein Jünger Jesu sein;
   Wenn er bleibt in seiner Lehre,
   Und derselben folget nach.

14 So wirst du die Gab erlangen,
   Den Geist der dich unterweist,
   Dein eigenes Leben hassen,
   Und demselben folgen nicht.

15 Ja der Geist der wird dich lehren,
   Was zu thun und lassen sey,
   In der Liebe dich zu üben,
   Deinem Jesu folgen treu.

16 Sein' Gebote so zu halten,
   Wie er es befohlen hat,
   Allezeit gedenken drane,
   Was er hat aus Lieb gethan.

17 Auch das Zeichen seiner Liebe,
   Wie er es befohlen hat,
   Mit Brod und Wein so zu üben,
   Seines Leidens denkend seyn.

18 In der Demuth d' Füß auch waschen,
   Wie Jesus that und befahl,
   Und darbey gedenken drane,
   Was der Herr für uns gethan.

19 Wie er uns gewaschen hatte
   Durch sein bittern Kreuzestod,
   Gott versöhnt mit seinem Blute,
   Von der Schulde Adams rein.

20 Diese Lehre nimm zu Herzen,
   Lieber Sünder, wer du bist,
   Willst du heil und selig werden,
   Folge nur und säume nicht.

---

(8)

Jesu, Jesu, Brunn des Lebens!
   Stell, ach stell dich bey uns ein!
   Daß wir jetzund nicht vergebens
   Wirken und beysammen seyn.

2 Du verheißest ja den Deinen,
   Daß du wolltest Wunder thun,
   Und in ihnen willt erscheinen.
   Ach! erfüll's, erfüll's auch nun.

3 Herr! wir tragen deinen Namen,
   Herr! wir sind in dich getauft,
   Und du hast zu deinem Saamen
   Uns mit deinem Blut erkauft.

4 O! so laß uns dich erkennen,
   Komm, erkläre selbst dein Wort,
   Daß wir dich recht Meister nennen,
   Und dir dienen fort und fort.

5 Bist du mitten unter denen,
Welche sich nach deinem Heil
Mit vereintem Seufzen sehnen;
O! so sey auch unser Theil.

6 Lehr uns singen, lehr uns beten,
Hauch uns an mit deinem Geist,
Daß wir vor den Vater treten,
Wie es kindlich ist und heißt.

7 Sammle die zerstreuten Sinnen,
Stöhr die Flatterhaftigkeit,
Laß uns Licht und Kraft gewinnen,
Zu der Christen Wesenheit.

8 O, du Haupt der rechten Glieder!
Nimm uns auch zu folgen an,
Bring das Abgewichne wieder,
Auf die frohe Himmelsbahn.

9 Gieb uns Augen, gieb uns Ohren,
Gieb uns Herzen, die dir gleich,
Mach uns redlich neugeboren,
Herr! zu deinem Himmelreich.

10 Ach ja! lehr uns Christen werden,
Christen, die ein Licht der Welt,
Christen, die ein Salz der Erden;
Ach ja, Herr! wie's dir gefällt.

(8)

Ringe recht, wann Gottes Gnade
Dich nun ziehet und belehrt,
Daß dein Geist sich recht entlade
Von der Last, die ihn beschwert.

2 Ringe, denn die Pfort ist enge,
Und der Lebensweg ist schmal;
Hier bleibt alles im Gedränge;
Was nicht zielt zum Himmels=Saal.

3 Kämpfe bis auf's Blut und Leben,
Dring hinein in Gottes Reich:
Will der Satan widerstreben,
Werde weder matt noch weich.

4 Ringe, daß dein Eifer glühe,
Und die erste Liebe dich
Von der ganzen Welt abziehe;
Halbe Liebe hält nicht Stich.

5 Ringe mit Gebät und Schreyen,
Halte damit feurig an;
Laß dich keine Zeit gereuen,
Wär's auch Tag und Nacht gethan.

6 Hast du danu die Perl errungen,
Denke ja nicht, daß du nun
Alles Böse hast bezwungen,
Das uns Schaden pflegt zu thun.

7 Nimm mit Furcht ja deiner Seelen,
Deines Heils mit Zittern war.
Hier in dieser Leibeshöhle
Schwebst du täglich in Gefahr.

8 Halt ja deine Krone feste,
Halte männlich was du hast:
Recht beharren ist das Beste;
Rückfall ist ein böser Gast.

9 Laß dein Auge ja nicht gaffen
Nach der schnöden Eitelkeit;
Bleibe Tag und Nacht in Waffen,
Fliehe Träg= und Sicherheit.

10 Laß dem Fleische nicht den Willen,
Gieb der Lust den Zügel nicht.
Willst du die Begierden füllen,
So verlöscht das Gnaden=Licht.

11 Fleisches=Freyheit macht die Seele
Kalt und sicher, frech und stolz;
Frißt hinweg das Glaubens=Oele,
Läßt nichts als ein faules Holz.

12 Wahre Treu führt mit der Sünde,
Bis ins Grab beständig Krieg,
Richtet sich nach keinem Winde,
Sucht in jedem Kampf den Sieg.

13 Wahre Treu liebt Christi Wege,
Steht beherzt auf ihrer Hut,
Weiß von keiner Wollustpflege,
Hält sich selber nichts zu gut.

14 Wahre Treu hat viel zu weinen,
Spricht zum Lachen: du bist toll;
Weil es, wann Gott wird erscheinen,
Lauter Heulen werden soll.

15 Wahre Treu kommt dem Getümmel
Dieser Welt niemal zu nah:
Ist ihr Schatz doch in dem Himmel,
Drum ist auch ihr Herz allda.

16 Diß bedenket wohl, ihr Streiter,
Streitet recht und fürchtet euch;
Geht doch alle Tage weiter,
Bis ihr kommt ins Himmelreich.

17 Denkt bey jedem Augenblicke,
Obs vielleicht der letzte sey;
Bringt die Lampen ins Geschicke,
Holt stets neues Oel herbey.

18 Liegt nicht alle Welt im Bösen?
Steht nicht Sodom in der Gluth?
Seele, wer soll dich erlösen?
Eilen, eilen ist hier gut.

19 Eile, wo du dich erretten
Und nicht mitverderben willt,
Mach dich los von allen Ketten,
Fleuch als ein gejagtes Wild.

20 Lauf der Welt doch aus den Händen,
Dring ins stille Pella ein;
Eile, daß du mögst vollenden,
Mache dich von allem rein.

21 Laß dir nichts am Herzen kleben,
    Fleuch vor dem verborg'nen Bann,
    Such in Gott geheim zu leben,
    Daß dich nichts beflecken kaun.

22 Eile, zähle Tag und Stunden,
    Bis dein Bräut'gam hüpft und springt,
    Und wann du nun überwunden,
    Dich zum Schauen Gottes bringt.

23 Eile, lauf ihm doch entgegen,
    Sprich: mein Licht, ich bin bereit
    Nun mein Hüttlein abzulegen,
    Mich dürst nach der Ewigkeit.

24 So kannst du zul♮ mit Freuden
    Gehen aus dem Jammerthal,
    Und ablegen alles Leiden,
    Dann nimmt recht ein End all Quaal.

––––––

(8)

Kinder, lernt die Ordnung fassen,
    Die zum Seligwerden führt.
  Dem muß man sich überlassen,
  Der die ganze Welt regiert.

2 Höret auf zu widerstreben,
    Gebt euch eurem Heiland hin;
    So giebt er euch Geist und Leben,
    Und verändert euren Sinn.

9

3 Selber könnt ihr gar nichts machen;
  Denn ihr seyd zum Guten todt.
  Jesus führt die Seelensachen.
  Er allein hilft aus der Noth.

4 Bittet ihn um wahre Rene,
  Bittet ihn um Glaubenskraft;
  So geschiehts, daß seine Trene
  Neue Herzen in euch schafft.

5 Sucht Erkenntniß eurer Sünden;
  Forscht des bösen Herzens Grund:
  Lernt die Greuel in euch finden;
  Da ist alles ungesund.

6 Jesus wird es euch entdecken;
  Bittet ihn, der Alles kann;
  Alsdann schauet ihr mit Schrecken
  Euren Seelenjammer an.

7 So wird bald vor euren Augen
  Euer Wandel, Thun und Sinn
  Sündlich seyn und gar nichts taugen.
  So fällt aller Ruhm dahin.

8 So vergeht der kalte Schlummer,
  Und die wilde Sicherheit.
  Furcht und Schaam und tiefer Kummer
  Weinet um die Seligkeit.

9 Dies von Gott gewirkte Trauern
  Reißt von aller Sünde los;
  Und wie lange muß es dauern?
  Bis zur Ruh in Jesu Schooß.

10 Fühlt ihr euch nur recht verloren,
Daß ihr Höllenkinder seyd;
O, so wird der Trieb geboren,
Der nach nichts als Gnade schreyt.

11 Und als solche kranke Sünder,
Sucht der Gnade Licht und Spur.
Werdet rechte Glaubenskinder;
Den der Glaube rettet nur.

12 Glauben heißt, die Gnad erkennen,
Die den Sünder selig macht:
Jesum meinen Heiland nennen,
Der auch mir das Heil gebracht.

13 Glauben heißt, nach Gnaden dürsten,
Wann man Zorn verdienet hat;
Denn das Blut des Lebensfürsten
Macht uns selig, reich und satt.

14 Glauben heißt, den Heiland nehmen,
Den uns Gott vom Himmel giebt:
Sich vor ihm nicht knechtisch schämen,
Weil er ja die Sünder liebt.

15 Glauben heißt, der Gnade trauen,
Die uns Jesu Wort verspricht.
Da verschwindet Furcht und Grauen
Durch das süße Glaubenslicht.

16 Ja, der Glaube tilgt die Sünden,
Wäscht sie ab durch Christi Blut,
Und läßt uns Vergebung finden.
Alles macht der Glaube gut.

17 Darum glaubt, und schreyt um Glauben,
    Bis ihr fest versichert seyd,
    Satan könn euch nicht mehr rauben,
    Ihr habt Gnad und Seligkeit.

18 Dann wird ohne viel Beschwerden
    Euer blind und todtes Herz
    Brünstig, fromm und heilig werden,
    Und befreyt vom Sündenschmerz.

19 Was vorher unmöglich scheinet,
    Was man nicht erzwingen kann:
    Das wird leichter als man meynet,
    Zieht man nur erst Jesum an.

20 Diese Ordnung lernt verstehen,
    Kinder, kehrt sie ja nicht um ;
    So wird alles selig gehen,
    So bekleibt das Christenthum.

* * *

(9)

Jesu Christ, mein's Lebens Licht,
    Mein höchster Trost, mein Zuversicht,
Auf Erden bin ich nur ein Gast,
Und drückt mich sehr der Sünden Last.

2 Ich hab vor mir ein schwere Reis',
    Zu dir ins himmlisch Paradeis ;
    Da ist mein rechtes Vaterland,
    Daran du dein Blut hast gewandt.

3 Zur Reis' ist mir mein Herze matt,
  Der Leib gar wenig Kräfte hat;
  Allein mein Seele schreyt in mir:
  Herr: hol' mich heim, nimm mich zu dir.

4 Drum stärk mich durch das Leiden dein
  In meiner letzten Todespein,
  Dein Blutschweiß mich tröst und erquick,
  Mach mich frey durch dein Band und Strick.

5 Dein Backenstreich und Ruthen frisch
  Der Sünden Striemen mir abwisch,
  Dein Hohn und Spott, dein Dornenkron,
  Laß seyn mein' Ehre, Freud und Wonn.

6 Dein Durst und Gallentrank mich lab,
  Wenn ich sonst keine Stärkung hab,
  Dein Angstgeschrey komm mir zu gut,
  Bewahr mich vor der Höllengluth.

7 Die heiligen fünf Wunden dein
  Laß mir rechte Felslöcher seyn,
  Darin ich flieh als eine Taub,
  Daß mich der höll'sche Weih nicht raub.

8 Wenn mein Mund nicht kann reden frey,
  Dein Geist in meinem Herzen schrey;
  Hilf daß mein Seel den Himmel find',
  Wann meine Augen werden blind.

9 Dein letztes Wort laß seyn mein Licht,
  Wann mir der Tod das Herz zerbricht:
  Behüte mich vor Ungeberd,
  Wann ich mein Haupt nun neigen werd.

10 Dein Kreuz laß seyn mein'n Wanderstab,
    Mein Ruh und Rast dein heil'ges Grab,
    Die reinen Grabetücher dein
    Laß meine Sterbekleider seyn.

11 Laß mich durch deine Nägelmaal
    Erblicken die Genadenmaal,
    Durch deine aufgespaltne Seit
    Mein' arme Seele heim geleit.

12 Auf deinen Abschied, Herr! ich trau,
    Drauf meine letzte Heimfahrt bau:
    Thu mir die Himmelsthür weit auf,
    Wann ich beschließ mein Lebenslauf.

13 Am jüngsten Tag erweck mein'n Leib,
    Hilf daß ich dir zur Rechten bleib,
    Daß mich nicht treffe dein Gericht,
    Welch's das erschrecklich Urtheil spricht.

14 Alsdann mein'n Leib erneure ganz,
    Daß er leucht wie der Sonnen Glanz,
    Und ähnlich sey dein'm klaren Leib,
    Auch gleich den lieben Engeln bleib.

15 Wie werd ich dann so fröhlich seyn,
    Werd singen mit den Engelein,
    Und mit der auserwählten Schaar
    Ewig schauen dein Antlitz klar.

(9)

Ach bleib bei uns, Herr Jesu Christ,
Weil es nun Abend worden ist;
Dein göttlich Wort, das helle Licht,
Laß ja bey uns auslöschen nicht.

2 In dieser letzt'n betrübten Zeit,
Verleih uns, Herr, Beständigkeit,
Daß wir dein Wort in Einigkeit,
Beleben recht in dieser Zeit.

3 Daß wir in guter stiller Ruh
Dieß zeitlich Leben bringen zu;
Und wann das Leben neiget sich,
Laß uns einschlafen seliglich.

———

(9)

Wir singen dir, Immanuel,
Du Lebensfürst und Gnadenquell,
Du Himmelsblum und Morgenstern,
Du Jungfrau'n Sohn, Herr aller Herr'n.
Halleluja.

2 Wir singen dir in deinem Heer,
Aus aller Kraft, Lob, Preis und Ehr,
Daß du, o lang gewünschter Gast,
Dich nunmehr eingestellet hast.
Halleluja.

3 Vom Anfang, da die Welt gemacht,
  Hat so manch Herz nach dir geschmacht;
  Dich hat gehofft so manche Jahr
  Der Väter und Propheten Schaar.
      Halleluja.

4 Vor andern hat dein hoch begehrt
  Der Hirt und König deiner Heerd,
  Der Mann, der dir so wohl gefiel,
  Wenn er dir sang auf Saitenspiel.
      Halleluja.

5 Ach ! daß der Herr aus Zion käm,
  Und unsre Baude von uns nähm:
  Ach daß die Hülfe bräch herein !
  So würde Jacob fröhlich seyn.
      Halleluja.

6 Nun du bist da, da liegest du,
  Und hältst im Kripplein deine Ruh;
  Bist klein, und machst doch alles groß,
  Bekleid’st die Welt, und kommst doch bloß.
      Halleluja.

7 Du kehrst in fremde Hausung ein,
  Und sind doch alle Himmel dein;
  Trinkst Milch aus einer Menschenbrust,
  Und bist doch selbst der Engel Lust.
      Halleluja.

8 Du hast dem Meer sein Ziel gesteckt,
  Und wirst mit Windeln zugedeckt:
  Bist Gott, und liegst auf Heu und Stroh;
  Wirst Mensch, und bist doch A und O.
      Halleluja.

9 Du bist der Ursprung aller Freud,
Und duldest so viel Herzeleid;
Bist aller Heiden Trost und Licht,
Suchst selber Trost, und findst ihn nicht.
 Halleluja.

10 Du bist der süße Menschenfreund,
Doch sind dir so viel Menschen feind;
Herodis Herz hält dich für Greu'l,
Und bist doch nichts als lauter Heil.
 Halleluja.

11 Ich aber, dein geringster Knecht,
Ich sag es frey, und meyn' es recht,
Ich liebe dich doch nicht so viel,
Als ich dich gerne lieben will.
 Halleluja.

12 Der Will ist da, die Kraft ist klein,
Doch wird dirs nicht zuwider seyn;
Mein armes Herz, und was es kann,
Wirst du in Gnaden nehmen an.
 Halleluja.

13 Hast du doch selbst dich schwach gemacht,
Erwähltest, was die Welt veracht;
Warst arm und dürftig, nahmst vorlieb,
Da, wo der Mangel dich hintrieb.
 Halleluja.

14 Du schliefst ja auf der Erden Schooß,
So war dein Kripplein auch nicht groß;
Der Stall, das Heu, das dich umfieng,
War alles schlecht und sehr gering.
 Halleluja.

15 Darum so hab ich guten Muth,
  Du wirst auch halten mich für gut;
  O Jesulein, dein frommer Sinn
  Macht, daß ich so voll Trostes bin.
      Halleluja.

16 War ich gleich sünd, und lastervoll,
  Hab ich gelebt nicht wie ich soll:
  Ey kommst du doch deswegen her,
  Daß sich der Sünder zu dir lehr.
      Halleluja.

17 Hätt ich nicht auf mir Sündenschuld,
  Hätt ich kein Theil an deiner Huld;
  Vergeblich wärst du mir gebor'n,
  Wenn ich noch wär in Gottes Zorn.
      Halleluja.

18 So faß ich dich nun ohne Scheu,
  Du machst mich alles Jammers frey;
  Du trägst den Zorn, du würgst den Tod,
  Verkehrst in Freud all Angst und Noth.
      Halleluja.

19 Du bist mein Haupt, hinwiederum
  Bin ich dein Glied und Eigenthum,
  Und will, so viel dein Geist mir giebt,
  Stets dienen dir, wie dirs beliebt.
      Halleluja.

20 Ich will dein Halleluja hier
  Mit Freuden singen für und für,
  Und dort in deinem Ehrensaal
  Soll schallen ohne Zeit und Zahl:
      Halleluja.

(9)

Als Christus mit sein'r wahren Lehr
Versammelt hätt ein kleines Heer,
Sagt er, daß jeder mit Geduld
Ihm täglich 's Kreuz nachtragen sollt.

2 Und sprach : ihr liebe Jünger mein,
Ihr sollet allzeit munter seyn,
Auf Erden auch nichts lieben mehr
Dann mich, und folgen meiner Lehr.

3 Die Welt die wird euch stellen nach,
Und anthun manchen Spott und Schmach,
Verjagen, und auch sagen frey,
Wie daß der Satan in euch sey.

4 Wann man euch nun lästert und schmächt,
Meinethalben verfolgt und schlägt,
Seyd froh, dann siehe, euer Lohn
Ist euch bereit ins Himmelsthron.

5 Seht mich an, ich bin Gottes Sohn,
Und hab auch allzeit wohlgethan,
Ja bin zwar auch der allerbest,
Noch habens mich getödt zuletzt.

6 Weil mich die Welt ein bösen Geist
Und argen Volksverführer heißt,
Auch meiner Wahrheit widerspricht,
So wird sie's euch auch schenken nicht.

7 Doch fürcht euch nicht vor solchem Mann,
Der nur den Leib ertödten kann:
Sondern fürcht mehr den treuen Gott,
Der beydes zu verdammen hat.

8 Derselb probiert euch wie das Gold,
Und ist euch doch als Kindern hold,
Wofern ihr bleibt in meiner Lehr,
Will ich euch lassen nimmermehr.

9 Dann ich bin eu'r, und ihr seyd mein,
Drum wo ich bleib, da sollt ihr seyn,
Und wer euch plagt, der rührt mein Aug,
Weh demselben an jenem Tag.

10 Eu'r Elend, Furcht, Angst, Noth und Pein
Wird euch dort große Freude seyn,
Und diese Schand ein Preis und Ehr,
Wohl vor dem ganzen Himmelsheer.

11 Die Apostel nahmen solch's an,
Und lehrten solches Jedermann,
Wer dem Herrn nachfolgen wollt,
Daß der dessen gewarten sollt.

12 O Christe! hilf du deinem Volk,
Welch's dir in aller Treu nachfolgt,
Daß es durch deinen bittern Tod
Erlöset werd aus aller Noth.

13 Lob sey dir Gott in deinem Thron,
Darzu auch deinem lieben Sohn:
Auch dem Heiligen Geist zugleich,
Der zieh noch viel zu seinem Reich.

(9)

Als Jesus Christus, Gottes Sohn,
Mit seiner leiblichen Person
Von dieser Welt abscheiden wollt,
Und sprach zu seinen Jüngern hold:

2 Ich geh zu Gottes Majestät;
Ihr aber hie sollt warten stät,
Bis euch zuvor himmlische Kraft
Bestätige zur Ritterschaft.

3 Die Jünger glaubten diesem Wort,
Blieben zusammen an ein'm Ort,
Einträchtig nach christlicher Weis',
Baten zu Gott mit allem Fleiß.

4 Nach Ostern am fünfzigsten Tag,
Den man den Pfingsttag nennen mag,
Neun Tag nach Christi Himmelfahrt,
Groß' Ding ihu'n wurden offenbart.

5 Des Morgens um die dritte Stund,
Als sie baten aus Herzensgrund,
Da kam der heilige Geist ins Haus,
Wie ein Sturmwind mit großem Brauß.

6 Saß auf ein Jeden unter ihn'n,
Gab allen ein rechtschaffnen Sinn,
Aus zu reden den Grund der Schrift,
Mit neuen Zungen unvergift.

7 Auf diesen Sturm lief viel Volks zu,
Sie die Jünger erregten fruh
Mit neuen Zungen große Ding,
Ihr' Red vielen zu Herzen gieng.

8 Derhalben etlich sprachen da:
Die Männer sind von Gallea,
Wie reden sie mit unsrer Sprach,
Und also große Ding anbracht.

9 Etliche sprachen: sie sind voll,
Und reden wie die Trunkenen toll.
Petrus aber voll Geistes Kraft,
Gab ihnen gar freudig Rechenschaft.

10 Nahm Wort vor sich aus Joels Buch,
Auch aus dem Psalter manchen Spruch,
Redet, daß's durch die Herzen drang,
Und sie also zu reden zwang.

11 O ihr Brüder, nun rathet zu,
Wie wir kommen zu rechter Ruh;
Wir finden bey uns nichts dann Sünd;
Saget, wer uns davon entbind?

12 Petrus sprach: bessert euer Thun,
Und glaubt in Christum, Gottes Sohn,
Bekennt ihn auch mit eurem Mund,
Laßt euch taufen auf seinen Bund.

13 Sie thäten wie ihn'n Petrus rieth,
Wandten vom bösen ihren Tritt,
Glaubten und empfiengen die Tauf,
Liefen ein'n gottseligen Lauf.

14 Es nun verleih uns, Heiliger Geist,
Daß wir uns halten allermeist
Nach dieser ersten Kirchenweis,
Dir Herre Gott zu Lob und Preis.

———

(9)

Herr Jesu Christ, dich zu uns wend,
Den Heil'gen Geist du zu uns send,
Der uns mit seiner Gnad regier,
Und uns den Weg zur Wahrheit führ.

2 Thu auf den Mund zum Lobe dein,
Bereit das Herz zur Andacht sein,
Den Glauben mehr, stärk den Verstand,
Daß uns dein Nam werd wohl bekannt.

3 Bis wir singen mit Gottes Heer:
Heilig, heilig ist Gott der Herr,
Und schauen dich von Angesicht,
In ew'ger Freud und sel'gem Licht.

4 Ehr sey dem Vater und dem Sohn,
Sammt Heil'gem Geist in einem Thron,
Der heiligen Dreyeinigkeit
Sey Lob und Preis in Ewigkeit.

(9)

Trau auf Gott in allen Sachen,
Die dich jetzo traurig machen,
Trau auf Gott in allen Dingen,
Die dir zu dem Herzen dringen.

2 Trau auf Gott in Seelenplagen,
Wann dich deine Sünden nagen,
Dann Gott ist in solchen Schmerzen,
Ein recht Pflaster für die Herzen.

3 Trau auf Gott, wann Tod und Hölle,
Wann der Teufel ist zur Stelle,
Und dir vom Verdammen saget,
Gott ists, der ihn bald verjaget.

4 Trau auf Gott in bösem Glücke,
Dann Gott ist dir eine Brücke,
Drauf du sichern Stand kannst haben,
Wann viel Unglück um dich traben.

5 Trau auf Gott, wann böse Seuchen
In dem Land herum hier schleichen,
Dann er kann dich so bedecken,
Daß dich keine darf anstecken.

6 Trau auf Gott in Kriegsgefahren,
Dann er weiß dich zu bewahren,
Er kann machen daß die Feinde
Werden deine besten Freunde.

7 Trau auf Gott in Hungersnöthen,
  Dann wird dich kein Hunger tödten,
  Wächset gleich kein Korn auf Erden,
  Da wird Brod aus Steinen werden.

8 Trau auf Gott in dürren Zeiten,
  Dann wird er vom Himmel leiten
  Seines Segens Ström' und Quellen,
  Die dein Herz zufrieden stellen.

9 Trau auf Gott, wanns stürmt und schneyet,
  Wann die Donnerwolke schreyet,
  Wann dich trifft das böse Wetter,
  Da ist Gott auch dein Erretter.

10 Trau auf Gott in allen Sachen,
   Dann er kann dir Anschläg machen,
   Trau auf Gott in allen Dingen,
   Dann wirst du ein Danklied singen.

––––––

(9)

Sieh wie fein ist's und lieblich schön,
  Wo Brüder bey einander wohn'n,
Gleich wie die gute Salbe schön
Herab floß von dem Haupt Aaron.

10

2 Welche herab floß in den Bart,
  Bis anf's Loch seiner Kleider zart,
  Eben gleich wie der Thau Hermou
  Herab floß auf die Berg Zion.

3 Ohn Zweifel das Gott wohl gefällt,
  Wo man Fried, Lieb, Einigkeit hält,
  Daselbst giebt der Herre freundlich,
  Leben und Segen ewiglich.   Amen.

---

(9)

An Jesum denken oft und viel,
  Bringt Freud und Wonn ohn Maaß und
    Ziel;
  Recht oder honigsüßer Art
  Ist seiner Gnaden Gegenwart.

2 Nichts liebers meine Zunge singt,
  Nichts reiners meinen Ohren klingt,
  Nichts süßers meinem Herzen ist,
  Als mein herzliebster Jesus Christ.

3 O Jesu mein Freud und Wonn!
  O Lebensbrunn! o wahre Sonn!
  Ohn dich ist alle Freud unwerth,
  Und was man auf der Welt begehrt.

4 O Jesu! deine Lieb ist süß!
  Wann ich sie tief ins Herze schließ,
  Erquicket sie mich ohne Zahl,
  Viel tausend, tausend, tausendmal.

5 Ach liebt und lobet doch mit mir
Den, der uns liebet für und für,
Belohnet Lieb mit Lieb allzeit,
Und hört nicht auf in Ewigkeit.

6 Mein Jesulein liegt mir im Sinn,
Ich geh und steh und wo ich bin;
Wie froh und selig werd ich seyn,
Wann es wird seyn und bleiben mein!

7 An dir mein Herz hat seine Lust,
Denn deine Treu ist mir bewußt!
Auf dich ist all mein Ruhm gestellt,
O Jesu, Heiland aller Welt.

―――――

(9)

Mit Gott in einer jeden Sach
Den Anfang und das Ende mach:
Mit Gott geräth der Anfang wohl,
Fürs Ende man Gott dauken soll.

2 Such nicht in deinem Christenthum,
Durch Heucheley bey Menschen Ruhm.
Gott kennt dein Herz und strafet dich,
Du wirst zu Schanden öffentlich.

3 Ob du schon im Verborgnen bist,
Doch denk und thu was löblich ist:
Bey Gott dem Herren ist gewiß
Nicht finster auch die Finsterniß.

10*

4 Unreine Zoten, faul Geschwätz
Für keine schlechte Sünde schätz.
Gott fordert Rechnung einst von dir,
Auch was du unrecht redest hier.

5 Verachte deinen Nächsten nicht,
Dann dir auch selber viel gebricht:
Kein Mensch vollkommen ist auf Erd,
An dem nicht Mangel funden werd.

6 Betrübe Niemand mit Gewalt,
Dann solche Macht vergehet bald,
Und wer Gewalt hat hie geübt,
Wird ohne Gnade dort betrübt.

7 Arbeite gern, und glaube fest,
Daß Faulheit ärger ist als Pest:
Dann Müßiggang viel Böses lehrt,
Und Sünd und Schande häufig mehrt.

8 Was du dich erst gewöhnest an,
Das ist hernach gar leicht gethan:
Gewohnheit hat gar große Kraft,
Viel Böses und viel Guts sie schafft.

9 In deiner Kleidung, Trank und Speiß,
Der Zucht und Maaße dich befleiß:
Auf Hoffart und auf Ueberfluß
Noth oder Stehlen folgen muß.

10 Fleuch böse Lust und Hurerey,
Da ist kein Glück noch Segen bey,
Dann Gott der rein und heilig ist,
Dich hasset, so du unrein bist.

11 Nimm deines Gleichen zu der Eh,
  Sonst wird dein Ehstand lauter Weh.
  Halt den dir gleich, der neben dir
  Gott liebt und fürchtet für und für.

12 Gieb wohl auf deine Kinder acht,
  Wehr ihnen Faulheit, Lust und Pracht:
  Wann sie dein gut Exempel sehn,
  So wirds von ihnen auch geschehn.

13 Verschwende nicht dein Hab und Gut,
  Gedenk, daß Armuth weh drauf thut:
  Man giebt dem nichts, der nichts mehr hat,
  Drum hast du übrig, halts zu Rath.

14 Kein unrecht Gut zusammen scharr,
  Dann der es thut, der ist ein Narr;
  Daß seine Erben lustig seyn,
  Dafür rennt er zur Höllenpein.

15 Der dir vor Augen dienen kann,
  Ist darum nicht der beste Mann:
  Es geht oft nicht von Herzensgrund,
  Was schön und lieblich redt der Mund.

16 Entschlag dich deß zu jeder Zeit,
  Der gern verleumdet andre Leut:
  Die Rede ist wie Gall und Gift,
  Die eines andern Ehre trifft.

17 Gönn' jedem, was der Höchst ihm giebt,
  Gott theilet aus, wie's ihm beliebt;
  Doch der auch Gott zu danken hat,
  Der Kleidung kriegt, und ißt sich-satt.

18 Sag nicht des Nächsten Mängel her,
    Was möglich ist zum Besten kehr,
    So bleibt der andre ohne Schimpf,
    Und du hast Ehr von diesem Glimpf.

19 Vergiß es all dein Lebtag nicht,
    Wann dir von Jemand Gut's geschicht:
    Das Unglück bleibt von deinem Haus,
    Wo du undankbar bist, nicht aus.

20 Die Welt ist voll Betrügerey,
    Drum was du thust, vorsichtig sey:
    Thu Niemand Schad, und sieh doch zu,
    Daß dir auch Niemand Schaden thu.

21 Lern unterscheiden Zeit und Ort,
    Eh du was redest, wäg die Wort;
    Die Zung bey manchen fertig geht,
    Doch Tod und Leben drin besteht.

22 Was heimlich ist und bleiben muß,
    Tritt gerne unter deinen Fuß:
    Schweigst du, so ist das Wort noch dein;
    Das du geredt hast, ist gemein.

23 Des Narren Herz ist in dem Maul,
    Drum ist er mit der Red nicht faul;
    Im Herzen ist des Weisen Mund,
    Den er bewahrt zu jeder Stund.

24 Was du willt thuu, das thu mit Rath,
    Daß dichs nicht reue nach der That:
    Dann vor gethan und nach bedacht,
    Hat viel in Schand und Schaden bracht.

25 Wann du geirret hast worin,
So bleib nicht steif auf deinem Sinn:
Wir Menschen irren mannigfalt,
Wer aber klug ist, bessert's bald.

26 Wer einst zu Ehren kommen will,
Muß lernen vor, und leiden viel.
Drum lern und leid und hab Geduld,
So seynd dir Gott und Menschen Huld.

27 Hat man dir was zu Leid gethan,
Fang darum keinen Hader an;
Laß allemal in deiner Sach
Gott und der Obrigkeit die Rach.

28 Die Sonne Bös und Fromm bescheint,
Thu du auch Gutes Freund und Feind:
Die Wohlthat den erweichet oft,
An dem man sonst kein Beßrung hofft.

29 Laß Jeden bleiben wer er ist,
So bleibest du auch wer du bist;
Wem Gott nicht gönnt den Ehrenstand,
Der fällt wohl ohne Menschenhand.

30 Dem Zorn vorhänge nicht den Zaum,
Daß die Vernunft nicht finde Raum:
Ein zornig Herz sich leicht verstellt,
Und leicht in Sünd und Krankheit fällt.

31 O Gott, mein Vater! mich regier,
Herr Jesu, hilf mir und mich führ:
O heilger Geist, mein Herz aufmahn,
Daß ich stets geh auf rechter Bahn.

(9)

Ihr junge Helden, aufgewacht!
Die ganze Welt muß sein veracht.
Drum eilt, daß ihr in kurzer Zeit
Macht eure Seelen wohl bereit.

2 Was ist die Welt mit allem Thun?
Den Bund gemacht mit Gottes Sohn,
Das bleibt der Seel in Ewigkeit,
Ein' zuckersüße Lust und Freud.

3 Ja nimmermehr geliebt die Welt,
Vielmehr sich Jesu zugesellt,
So überkommt man Glaubenskraft,
Daß man auch bald ihr Thun bestraft.

4 Nun weg hiermit, du Eitelkeit,
Es ist mir nun zu lieb die Zeit,
Daß ich sie nicht mehr so anwend,
Daß ich den Namen Gottes schänd.

5 Ich hab es nun bey mir bedacht,
Und diesen Schluß gar fest gemacht,
Daß es mir nun soll Jesus seyn,
Und wollt mein Fleisch nicht gern darein.

6 Zur falschen Welt und ihrem Trug
Spricht meine Seel, es ist genug:
Zu lang hab ich die Lust geliebt,
Und damit meinen Gott betrübt.

7 Ich eil nun fort zu meinem Gott,
Der mich erkauft vom Fluch und Tod ;
Darum ich auch als ein Reb,
Hinführo fest an Jesu kleb.

8 Nichts anders will ich, als Gott will,
Wenn er mir hilft, daß ich das Ziel,
Wozu er mich berufen hat,
Erlangen möge in der That.

9 So soll mein Herz mit Preis und Dank,
Ihm ewig bringen Lobgesang:
Gelobet seyst du in der Zeit,
Du großer Gott, von Ewigkeit.

———

(9)

Nun laßt uns den Leib begraben,
Daran wir kein Zweifel haben,
Er wird am jüngsten Tag aufsteh'n,
Und unverweßlich hervorgeh'n.

2 Erde ist er von der Erden,
Wird auch zur Erd wieder werden,
Und von der Erd wieder aufsteh'n,
Wann Gottes Posaun wird angehn.

3 Der Frommen Seel lebt stets in Gott,
Der sie allhier aus lauter Gnad
Von aller Sünd und Missethat
Durch seinen Sohn erlöset hat.

4 Ihr Jammer, Trübsal und Elend
  Ist kommen zu ein'm seel'gen End :
  Sie hat getragen Christi Joch,
  Ist gestorben und lebt doch noch.

5 Die Seele lebt ohn alle Klag,
  Der Leib schläft bis am jüngsten Tag.
  An welchem Gott ihn verklären
  Und ew'ger Freud wird gewähren.

6 Hier ist er in Angst gewesen,
  Dort aber wird er genesen,
  In ewiger Freud und Wonne
  Leuchten wie die helle Sonne.

7 Nun lassen wir ihn hie schlafen,
  Und gehn all heim unsre Straßen,
  Schicken uns auch mit allem Fleiß,
  Weil uns der Tod kommt gleicher Weis'.

8 Das helf uns Christus, unser Trost,
  Der uns durch sein Blut hat erlößt !
  Von Feinds Gewalt und ew'ger Pein,
  Ihm sey Lob, Preis und Ehr allein.

———

(9)

Nun bringen wir den Leib zur Ruh,
  Und decken ihn mit Erde zu,
  Der Leib, der nach des Schöpfers Schluß,
  Zu Staub und Erde werden muß.

2 Er bleibt nicht immer Aſch und Staub,
Nicht immer der Verweſung Raub:
Er wird, wann Chriſtus einſt erſcheint,
Mit ſeiner Seele neu vereint.

3 Hier, Menſch, hier lerne was du biſt;
Lern hier, was unſer Leben iſt,
Nach Sorge, Furcht und mancher Noth
Kömmt endlich noch zuletzt der Tod.

4 Schnell ſchwindet unſre Lebenszeit,
Aufs Sterben folgt die Ewigkeit;
Wie wir die Zeit hier angewandt,
So folgt der Lohn aus Gottes Hand.

5 So währen Reichthum, Ehr und Glück,
Wie wir ſelbſt, einen Augenblick!
So währt auch Kreuz und Traurigkeit,
Wie unſer Leben kurze Zeit.

6 O ſich'rer Menſch, beſinne dich,
Tod, Grab und Richter nahen ſich;
In allem, was du denkſt und thuſt,
Bedenke, daß du ſterben mußt.

7 Hier, wo wir bey den Gräbern ſtehn,
Soll jeder zu dem Vater flehn:
Ich bitt, o Gott, durch Chriſti Blut,
Mach's einſt mit meinem Ende gut!

8 Laßt alle Sünden uns bereu'n,
Vor unſerm Gott uns kindlich ſcheu'n;
Wir ſind hier immer in Gefahr;
Nehm Jeder ſeiner Seele wahr!

9 Wann unſer Lauf vollendet iſt,
   So ſey uns nah, Herr Jeſu Chriſt!
   Mach uns das Sterben zum Gewinn:
` Zeuch unſre Seelen zu dir hin.

10 Und wann du einſt, du Lebensfürſt,
   Die Gräber mächtig öffnen wirſt,
   Dann laß uns fröhlich auferſtehn,
   Und dann dein Antlitz ewig ſehn.

Mel. Wie ſchon leuchtet der Morgen.

Gott Vater, dir ſey Lob und Dank,
   Durch Chriſtum, für die Speiß und
      Trank,
Die du dem Leib beſcheret:
Ach! gieb uns auch aus Gütigkeit,
Die Himmelskoſt jetzt und allzeit,
Die Seel und Geiſt ernähret;
Daß wir uns dir
Ganz ergeben, und ſtets leben,
Dir zum Preiſe,
Bis wir ſchließen unſere Reiſe.

(9)

Wo ist Jesus, mein Verlangen,
Mein geliebter Herr und Freund,
Wo ist er danu hingegangen,
Wo mag er zu finden seyn?
Meine Seel ist sehr betrübet,
Mit viel Sünden abgematt:
Wo ist Jesus, den sie liebet?
Den begehrt sie Tag und Nacht.

2 Ach, ich ruf vor Angst und Schmerzen,
Wo ist danu mein Jesus hin?
Kein Ruh ist in meinem Herzen,
So lang bis ich bey ihm bin,
Ach, wer giebt mir Tauben-Flügel?
Daß ich kann zu jeder Frist
Fliegen über Berg und Hügel,
Suchen, wo mein Jesus ist.

3 Er vertreibet Angst und Schmerzen,
Er vertreibet Sünd und Tod,
Denn sie quälen in dem Herzen,
Der hilft Jedem aus der Noth.
Darum will ich nicht nachlassen,
Will bald laufen hin und her,
Auf den Feldern, auf den Straßen,
Will ihn suchen mehr und mehr.

4 Liebster Jesu, laß dich finden,
Meine Seele schreyt in mir,
Thu mir mit den Augen winken,
Laß sie eilends seyn bey dir.

Ach, laß mich die Gnad erlangen,
Allerliebster Jesu mein!
Und nimm meine Seel gefangen,
Laß sie immer bey dir seyn.

5 Ach, ich sterb vor lauter Freuden,
Ich find Jesum, meinen Schatz;
Alle Weltlust will ich meiden,
Bey ihm will ich finden Platz.
Nunmehr soll mich nichts betrüben,
Was mich vor betrübet hat,
Ich will nichts als Jesum lieben,
Den mein Seel gefunden hat.

6 Liebster Jesu, meine Freude,
Meiner Seelen schönste Zier!
Du bist meines Herzens Weide,
Mich verlangt ja stets nach dir.
Mein Herz, Sinnen und Gedanken
Sollen dir ergeben seyn:
Laß mich nimmer von dir wanken,
Du sollt ewig bleiben mein.

7 Ach, wer wollte dann noch leben,
Hier in dieser Eitelkeit,
Und mit mir nicht thun anheben:
Jesus, Jesus, nimm doch heut
Meine Seel in deine Hände,
Zu dir in das Paradeis;
Ich begehr nicht mehr zu leben,
Hier in dieser Sterblichkeit.

8 Dorten werde ich mit Freuden
  Schauen Gottes Angesicht,
  Da wird all mein Kreuz und Leiden
  Gänzlich seyn zu Grund gericht.
  Jesus, mein Erlöser eben,
  Der zur Rechten Gottes sitzt,
  Wird mit Freuden mich umgeben,
  Weil Bußthränen ich geschwitzt.

9 Liebster Gott, ich bin voll Freuden,
  Daß ich armer Erdenkloß,
  Nur einmal der Würmer Speiße,
  Solche Gnad erlange doch,
  Daß, wann meine Seel wird scheiden
  Von dem Leib der Sterblichkeit,
  Dich mit allen Engeln preiße,
  Dort in alle Ewigkeit.

———

(9)

So grabet mich nun immer hin,
  Da ich so lang verwahret bin,
Bis Gott, mein treuer Seelenhirt,
Mich wieder auferwecken wird.

2 Ja, freylich werd ich durch den Tod
  Zu Aschen, Erden, Staub und Koth;
  Doch wird das schwache Fleisch und Bein,
  Von meinem Gott verwahret seyn.

3 Mein Leib wird hier der Würmer Spott,
Die Seele ist bey ihrem Gott,
Der durch sein's Sohn's Tod's Bitterkeit,
Sie hat erlößt zur Seligkeit.

4 Wie manche Widerwärtigkeit,
Betraf mich in der Lebenszeit,
Nun aber ist mir nichts bewußt,
Dann ewigliche Himmelslust.

5 So laß't mich nun in sanfter Ruh,
Und geht nach eurer Wohnung zu,
Ein jeder denke Nacht und Tag,
Wie er auch selig sterben mag.

———

(9)

Es sind zween Weg in dieser Zeit,
Der ein ist schmal, der ander weit,
Wer jetzt will gehn die schmale Bahn,
Der wird veracht von Jedermann.

2 Dies zeigt uns an des Herren Wort:
Geht ein durch diese enge Pfort,
Die Thür ist klein, wer will hinein,
Der muß vor leiden große Pein.

3 Darnach hat er ewige Ruh,
Darum, o Mensch, schick dich darzu,
Wilt du sein gleich in Gottes Reich,
Mit allen Frommen ewiglich.

4 Da wird nichts seyn nach dieser Zeit,
Dann Fried und Freud in Ewigkeit,
Die Frommen schon werden das hon,
Die allzeit Gottes Willen thun.

5 Wer aber geht den breiten Weg,
Dasselbig ist der Höllen Steg,
Der ist verlor'n in Gottes Zorn,
Wohl dem der jetzt ist neugebor'n.

6 Demselben hat Gott zubereit
Ein Kron die bleibt in Ewigkeit,
Sie wird nicht welk, darum, o Welt,
Laß fahren alles Gut und Geld.

7 Und mach dich auf die schmale Bahn,
Daß du erlangst die ewig Kron,
Die Gott allein giebt seiner G'mein,
Die er hat g'macht von Sünden rein.

8 Darum laß fahren alles Gut,
Dein Geiz, hoch Pracht und Uebermuth,
Kehr dich behend von aller Süud,
So wirst du g'zählt für Gottes Kind.

9 Dann es wird ja nichts anders seyn,
Wer meiden will die ewig Pein,
Der werd nur fromm, das ist die Summ,
Mach sich auf d' Bahn und seh nicht um.

10 Streck sich zum vorgesteckten Ziel,
Dann wer das Kleinod g'winnen will,
Muß alles verlahn, auf dieser Bahn,
Will er erlangen diese Kron.

11

(9)

Vom Himmel hoch da komm ich her,
  Ich bring euch Heil und Gnadenlehr,
Der guten Lehr bring ich so viel,
Davon ich singend sagen will.

2 Euch ist ein Kindlein heut geborn,
  Von einer Jungfrau auserkor'n,
  Ein Kindelein, so zart und fein,
  Soll eure Freud und Wonne seyn.

3 Es ist der Herr Christ, unser Gott,
  Der will euch führ'n aus aller Noth,
  Er will der Heiland selber seyn,
  Von allen Sünden machen rein.

4 Er bringt euch alle Seligkeit,
  Die Gott der Vater hat bereit,
  Daß ihr mit uns im Himmelreich
  Sollt leben nun und ewiglich.

5 So merket nun das Zeichen recht,
  Die Krippe und die Windeln schlecht;
  Da findet ihr das Kind gelegt,
  Das alle Welt erhält und trägt.

6 Deß laßt uns alle fröhlich seyn,
  Und mit den Hirten gehn hinein,
  Zu sehen, was Gott hat bescheert,
  Uns mit sein'm lieben Sohn verehrt,

7 Merkt auf, mein Herz, und sieh hinein:
  Was liegt dort in dem Krippelein?
  Weß ist das schöne Kindelein?
  Es ist das liebe Jesulein.

8 Sey willkommen du edler Gast,
 Den Sünder nicht verschmähet-hast,
 Und kommst ins Elend her zu mir.
 Wie soll ich immer danken dir?

9 Ach Herr! du Schöpfer aller Ding,
 Wie bist du worden so gering,
 Daß du da liegst auf dürrem Gras,
 Davon ein Rind und Esel aß.

10 Und wär die Welt vielmal so weit,
 Von Edelstein und Gold bereit,
 So wär sie dir doch viel zu klein,
 Zu seyn ein enges Wiegelein.

11 Der Sammet und die Seiden dein,
 Das ist grob Heu und Windelein,
 Darauf du König groß und reich
 Herprangst, als wärs dein Himmelreich.

12 Das hat also gefallen dir,
 Die Wahrheit anzuzeigen mir,
 Wie aller Welt Macht, Ehr und Gut,
 Vor dir nichts gilt, nichts hilft und thut.

13 Ach! mein herzliebes Jesulein,
 Mach dir ein rein, sanft Bettelein,
 Zu ruhen in meines Herzens Schrein,
 Daß ich nimmer vergesse dein.

14 Davon ich allezeit fröhlich sey,
 Zu singen, springen, immer frey,
 Das rechte Hosianna schon,
 Mit Herzenslust und süßem Ton.

15 Lob, Ehr sey Gott im höchsten Thron,
   Der uns schenkt seinen ein'gen Sohn;
   Deß frenet sich der Engel Schaar,
   Und singen uns solchs neue Jahr.

---

(18)

Heut fänget an das neue Jahr
   Mit neuem Gnadenschein,
Wir loben alle unsern Gott,
Und singen insgemein.

2 Seh, wie sich Gottes Vaterhuld
   Erzeiget euch aufs neu.
   Wir merken seine Wundergüt,
   Und spüren seine Treu.

3 Was suchet doch der fromme Gott
   Durchs Gute, so er thut?
   Ach, wer uns das recht lehren wollt,
   Erweckte Herz und Muth.

4 Der Geist der spricht es deutlich aus:
   Er leitet euch zur Buß!
   Wir bücken uns von Herzensgrund,
   Und fallen ihm zu Fuß.

5 Wohl euch, wenn dieses recht geschicht,
   Und geht von Herzensgrund.
   Ja, ja, es schreyet Seel und Geist,
   Und nicht allein der Mund.

6 Thut das, und haltet brünstig an,
Bis Gott geholfen hat.
Wir senken uns in seine Huld,
Und hoffen blos auf Gnad.

7 Das ist gewiß der rechte Weg,
Der euch nicht trügen kann.
Ach Jesu, Jesu! seufzen wir,
Nimm du dich unser an!

8 Den hat euch Gott zum Gnadenstuhl
Und Mittler vorgestellt.
Darum nehmen wir ihn willig auf,
Er ist das Heil der Welt.

9 Wohl! dieser ist der wahre Gott,
In dem euch Hilf bereit,
Er machet euch von Sünden los,
Und schenkt die Seligkeit.

10 Diß heute unsre Hoffnung ist,
Und bleibet immerdar.
Jesus, der starke Siegesheld,
Dämpf nur der Feinde Schaar.

11 Gar gerne will er dieses thun,
Wo ihr nicht widerstrebt,
Nur haltet seinem Wirken still,
Und ihme euch ergebt.

12 Wir wollens thun durch seine Gnad,
  Die er im Glauben schenkt,
  Bey ihm ist doch allein die Kraft,
  Die unsre Herzen lenkt.

13 Diß glaubt und zeigets in der That
  In eurem Lebenslauf,
  Den Weltsinn leget gänzlich ab,
  Schwingt euch zu Gott hinauf.

14 Wir folgen diesem guten Rath,
  Weil es Gott selbst gebeut,
  Die Seele suchet Hilf und Gnad,
  Das Herz die Sünd bereut.

15 Ja, glaubet, Gottes Hilf ist nah,
  Und Christi guter Geist
  Ist wahrlich stets darauf bedacht,
  Wie er euch Hilfe leist.

16 Den nehmen wir mit Freuden an,
  Der soll uns machen neu,
  Die Sünde habe gute Nacht,
  Zusammt der Heucheley.

17 So fanget an und fahret fort
  In diesem neuen Jahr,
  So bleibet euch der Segen nah
  Und weichet die Gefahr.

18 Deß trösten wir uns allezeit
  Von Gottes Lieb und Huld,
  Und hoffen auf Barmherzigkeit
  Im Glauben und Geduld.

Mel. Ich liebe dich herzlich.

19 Nun lasset uns alle dem Herren ergeben,
In stetiger Buße und Glauben zu leben,
Die Sünd abzuschaffen, das Gute zu fassen,
Die Weltlust und irdische Freud zu ver=
lassen.

20 Von Jesu zu nehmen den himmlischen
Segen,
Den er uns versprochen ins Herze zu legen;
Ach Jesu! ach Jesu! komm, hilf uns in
Gnaden,
Gieb Segen, gieb Leben, wend Unheil und
Schaden.

———

(9)

O Gott, Schöpfer, Heiliger Geist!
Zu Lob und Preis dir allermeist,
Wollen wir einträchtig singen,
Und nach den guten Gab'n ringen.

2 Die erste Gab, wem sie wird kannt,
Wird die göttliche Furcht genannt,
Ist ein Anfang aller Weisheit,
Die uns den Weg zum Leben b'reit.

3 Sie erzittert ob Gottes Wort,
Und geht ein durch die enge Pfort,
Treibt Sünd und gottlos Leben aus,
Wacht und bewahrt fleißig ihr Haus.

4 Die ander Gab ist Gütigkeit,
Die Menschenkind machet bereit,
Sein'n Nächsten herzlich zu lieben,
Und sich in all'm Guten üben.

5 Ist Jedermann ordentlich hold,
Vergiebet und beweist Geduld,
Freut sich wann etwas Guts geschicht,
Und klagt so man etwas Bös verricht.

6 Die dritte Gab ist Wissenheit,
Die lehrt den Menschen allezeit,
Was Gott verbiet, und lässet frey,
Was zu thun und zu lassen sey.

7 Wer die hat, der fleucht von der Welt,
Und meidet was Gott nicht gefällt,
Baut nicht aufs Eis noch auf den Sand,
Thut alles Guts was er erkannt.

8 Die vierte Gab wird auch erkannt,
Und billig diese Stärk genannt,
Mit welcher dein Volk allezeit
Ritterlich ausführt seinen Streit.

9 Dann wo du nicht mit solcher Kraft
Zurüstest deine Ritterschaft,
Kein gut Werk von dir wird geschehn,
Man wird auch keinen Ritter sehn.

10 Die fünfte Gab das ist dein Rath,
   Des Herren Knecht ist er sehr noth,
   Daß sie unterscheiden mit Fleiß
   In Glaubenskraft geistlicher Weis'.

11 So viel Gott's Wort und Furcht antrifft,
   Rath geben nach heiliger Schrift,
   Damit es wohl regieret werd,
   Als Gott's Gemein und kleine Heerd.

12 Die sechste Gab ist recht Verstand,
   Der Welt ganz fremd und unbekannt,
   Bezeugt ihr Treu die größte Werk,
   In Gottes Gnaden, Trost und Stärk.

13 Sie lehret mit Einfältigkeit
   Den Weg zur Seligkeit bereit,
   Nach Inhalt heiliger Geschrift,
   Welchen sonst kein Weltweiser trifft.

14 Die siebent' Gab ist die Weisheit,
   Den Christen Noth zu aller Zeit,
   Dann sie lehret weislich wandeln,
   Und mit Vorsichtigkeit handeln.

15 Sich hütet vor des Teufels List,
   Vor der Welt und dem Antichrist,
   Gänzlich sich zu dem Herren wend,
   Mit Fleiß sein'n heil'gen Bund vollend.

16 O Heil'ger Geist, nun steh uns bey
   Mit diesen Gaben, und verleih,
   Daß wir in Geistes Kraft und Zier
   Dein'n Namen preisen für und für.

(10)

Nun danket alle Gott
Mit Herzen, Mund und Händen,
Der große Dinge thut
An uns und allen Enden,
Der uns von Mutterleib
Und Kindesbeinen an
Unzählig viel zu Gut,
Und noch jetzund gethan.

2 Der ewig reiche Gott
Woll' uns bey unserm Leben,
Ein immer fröhlich Herz
Und edlen Frieden geben,
Und uns in seiner Gnad
Erhalten fort und fort
Und uns aus aller Noth
Erlösen hier und dort.

3 Lob, Ehr und Preis sey Gott,
Dem Vater und dem Sohne,
Und dem der beyden gleich,
Im hohen Himmelsthrone,
Dem dreyeinigen Gott
Als der im Anfang war,
Und ist und bleiben wird
Jetzund und immerdar.

4 Laß dich, Herr Jesu Christ,
Durch unsre Bitt bewegen,
Komm in mein Haus und Herz,
Und bring uns deinen Segen;

All Arbeit, Müh und Sorg',
Ohn dich nichts richten aus,
Wo du in Gnaden bist,
Kommt Segen in das Haus.

5 Jetzt ist die Gnadenzeit,
Jetzt steht der Himmel offen,
Jetzt hat noch Jedermann
Die Seligkeit zu hoffen.
Wer diese Zeit versäumt,
Und sich zu Gott nicht lehrt,
Der schrey Weh über sich,
Wenn er zur Höllen fährt.

6 Stell, Herr, dich wie du willt,
Ich fahre fort zu schreyen
In meiner Angst zu dir,
Du wirst mir Hülf verleihen,
Du hast mirs zugesagt,
Drum wird es auch geschehn,
Ich will noch meine Lust
An deiner Hülfe sehn.

7 Man höret nichts als Noth
Und Angst in allen Landen.
Im Glauben schließen wir,
Das Ende sey vorhanden.
Drum komm, Herr Jesu! komm,
Und führ uns aus der Welt,
Die uns noch hier und dar
So hart gefangen hält.

8 Der Richter dieser Welt
 Wird sich nun bald aufmachen,
 Mit seinem großen Tag,
 Und sich an Feinden rächen;
 Drum haltet euch bereit.
 Daß ihr vor ihm besteht,
 An seinem großen Tag
 Mit ihm zur Freud eingeht.

———

(10)

Die Nacht ist vor der Thür,
 Sie liegt schon auf der Erden.
Mein Jesu! tritt herfür,
Und laß es helle werden.
Bey dir, o Jesulein!
Ist lauter Sonnenschein.

2 Gieb deinen Gnadenschein
 In mein verfinstert Herze,
 Laß in mir brennend seyn
 Die schöne Glaubenskerze,
 Vertreib die Sündennacht,
 Die mir viel Kummer macht.

3 Ich habe manchen Tag
 In Eitelkeit vertrieben,
 Du hast den Ueberschlag
 Gemacht und aufgeschrieben,

Ich selber stelle mir
Die schwere Rechnung für.

4 Sollt etwa meine Schuld
Noch aufgeschrieben stehen,
So laß durch deine Huld
Dieselbe doch vergehen:
Dein rosinfarbes Blut
Macht alle Rechnung gut.

5 Ich will mit dir, mein Hort
Aufs neue mich verbinden,
Zu folgen deinem Wort,
Zu flieh'n den Wust der Sünden,
Dein Geist mich stets regier,
Und mich zum Guten führ.

6 Wohlan, ich lege mich
In deinem Namen nieder,
Des Morgens rufe mich
Zu deinem Dienste wieder:
Denn du bist Tag und Nacht
Auf meinen Nutz bedacht.

7 Ich schlafe, wache du:
Ich schlaf in Jesu Namen,
Sprich du zu meiner Ruh
Ein kräftig Ja und Amen!
Und also stell ich dich
Zum Wächter über mich.

(10)

Spar deine Buße nicht
Von einem Jahr zum andern,
Du weißt nicht, wann du mußt
Aus dieser Welt weg wandern;
Du mußt nach deinem Tod
Vor Gottes Angesicht:
Ach! denke fleißig dran:
Spar deine Buße nicht!

2 Spar deine Buße nicht,
Bis daß du alt wirst werden;
Du weißt nicht Zeit und Stund,
Wie lang du lebst auf Erden:
Wie bald verlöschet doch
Der Menschen Lebenslicht!
Wie bald ist es geschehn!
Spar deine Buße nicht!

3 Spar deine Buße nicht!
Bis auf das Todesbette;
Zerreiße doch in Zeit
Die starke Sündenkette.
Denk an die Todesangst,
Wie da das Herze bricht,
Mach dich von Sünden los:
Spar deine Buße nicht!

4 Spar deine Buße nicht,
Weil du bist jung von Jahren,
Da du erst Lust und Freud
Willst in der Welt erfahren;

Die Jungen sterben auch,
Und müssen vors Gericht:
Drum ändre dich bey Zeit,
Spar deine Buße nicht!

5 Spar deine Buße nicht,
Dein Leben wird sich enden;
Drum laß den Satan doch
Dich nicht so gar verblenden;
· Dann wer da in der Welt
Viel Böses angericht,
Der muß zur Höllen gehn.
Spar deine Buße nicht!

6 Spar deine Buße nicht,
Dieweil du noch kannst bäten,
So laß nicht ab vor Gott
In wahrer Buß zu treten;
Bereue deine Sünd;
Wann dieses nicht geschicht,
Weh deiner armen Seel!
Spar deine Buße nicht!

7 Spar deine Buße nicht;
Ach! ändre heut dein Leben,
Und sprich: ich hab mein Herz
Nnn meinem Gott gegeben,
Ich setz auf Jesum Christ
All meine Zuversicht;
So wirst du selig seyn:
Spar deine Buße nicht!

(11)

Liebster Jesu, wir sind hier,
Dich und ... Wort anzuhören,
Lenke Sinne und Begier
Zu den süßen Himmelslehren,
Daß die Herzen von der Erden
Ganz zu dir gezogen werden.

2 Unser Wissen und Verstand

Wo nicht deines Geistes Hand
Uns mit hellem Licht erfüllet;
Gutes denken, thun und dichten,
Mußt du selbst in uns verrichten.

3 O du Glanz der Herrlichkeit,
Licht von Licht aus Gott geboren,
Mach uns allesammt bereit,
Oeffne Herzen, Mund und Ohren,
Unser Bitten, Flehn und Singen
Laß, Herr Jesu! wohl gelingen.

4 Gieb uns deines Geistes Kraft,
Dein Wort mit Andacht zu hören,
Daß es in dem Herzen haft,
Was dein Diener Guts wird lehren,
Damit wir im Glaub'n auf Erden
Zu dem Himm'l erbauet werden.

(11)

Nun Gott Lob! es ist vollbracht,
Singen, Bäten, Lehren, Hören;
Gott hat alles wohl gemacht,
Drum laßt uns sein Lob vermehren.
Unser Gott sey hoch gepreiset,
Daß er uns so wohl gespeiset.

2 Wenn der Kirchendienst ist aus,
Und uns mitgetheilt der Segen,
So gehn wir mit Fried nach Haus,
Wandeln fein auf Gottes Wegen.
Gottes Geist uns ferner leite,
Und uns alle wohl bereite.

3 Unsern Ausgang segne Gott,
Unsern Eingang gleicher Maßen,
Segne unser täglich Brod,
Segne unser Thun und Lassen.
Segne uns mit sel'gem Sterben,
Und mach uns zu Himmelserben.

———

(12)

Ach! was ist doch unser Leb'n?
Nichts, als nur im Elend schweb'n;
Wann es gut gewesen ist,
Ist es Müh zu jeder Frist.

12

2 Ach! was ist doch unsre Zeit?
  Nichts als lauter Krieg und Streit;
  Da nur eins das andre haßt,
  Da kein Fried, kein Ruh noch Rast.

3 Was ist unsre Frömmigkeit?
  Eine Unvollkommenheit;
  Niemand kann damit bestehn,
  Wann Gott ins Gericht will gehn.

4 Ach! was ist doch Gut und Geld?
  Nichtes, als nur Koth im Feld;
  Heute reich und morgen arm,
  Reichthum bringet Sorg und Harm.

5 Ach, was ist doch Amt und Ehr?
  Nur ein Leben mit Beschwer:
  Wer viel Gaben hat allhier,
  Den beneidt man für und für.

6 Ach, was ist doch Menschengunst?
  Nur ein blauer Nebeldunst;
  Lieber, trau dem Freunde nicht,
  Auch der Bruderglaube bricht.

7 Ach, was ist doch Fröhlichkeit?
  Eine ungesunde Zeit,
  Davon oft die Seel verdirbt,
  Mancher vor der Zeit verstirbt.

8 Ach, was Haß und was für Neid,
  Tragen gegen uns die Leut;
  Hier ist Zorn, Verleumdung dort,
  Also geht es fort und fort.

9 Ach, wie krank und ungesund
Seynd wir Menschen manche Stund,
Daß kein Glied zu finden ist,
Dem nichts mangelt zu der Frist.

10 Aber was ist unser Tod?
Nur ein Ende aller Noth,
Da wir ohne Kreuz und Pein
Ewig bey Gott werden seyn.

11 Darum freu ich mich allzeit
Auf die wahre Himmelsfreud,
Da uns gar nichts mangeln wird,
Da nur Freude wird gespühret:

12 Freude, die kein Ohr gehört,
Die keins Menschen Herz berührt,
Freude inn= und äußerlich;
Auf die Freude freu ich mich.

13 Ach, wie freu ich mich so sehr,
Mit dem großen Himmelsheer;
Tausend Engel warten auf,
Wann ich schließe meinen Lauf.

14 Mensch! gedenke allezeit
Dort der großen Seligkeit;
Denke, daß du sterblich bist,
Hier kein Immerleben ist.

15 Ich bin schon dahin gelangt,
Wo mein liebster Jesus prangt,
Jesus hilft den Frommen aus:
Nun adje, du Marterhaus!

12*

(12)

Jn der stillen Einsamkeit,
    Findest du mein Lob bereit.
Großer Gott, erhöre mich,
Denn meine Herze suchet dich.

2 Unveränderlich bist du,
    Nimmer still und doch in Ruh,
Jahreszeiten du regierst,
Und sie ordentlich einführst.

3 Diese kalte Winterluft
    Mit Empfindung kräftig ruft:
Sehet, welch ein starker Herr!
Sommer, Winter, machet er.

4 Gleich wie Wolle fällt der Schnee,
    Und bedecket was ich seh,
Wehet aber nur ein Wind,
So zerfließet er geschwind.

5 Gleiche wie Asche liegt der Reif,
    Und die Kälte machet steif.
Wer kann bleiben vor dem Frost,
Wann er rufet Nord und Ost.

6 Alles weiß die Zeit und Uhr,
    O Beherrscher der Natur!
Frühling, Sommer, Herbst und Eiß
Stehen da auf dein Geheiß.

7 O daß auch so meine Seel
    Möchte folgen dein'm Befehl!
O daß deine Feuerlieb
Mich zu dir, Herr Jesu, trieb!

8 Obschon alles draussen friert,
  Doch mein Herz erwärmet wird;
  Preis und Dank ist hier bereit
  Meinem Gott in Einsamkeit.

---

(12)

Sieh! wie lieblich und wie fein
  Ists, wenn Brüder friedlich seyn,
Wenn ihr Thun einträchtig ist,
Ohne Falschheit, Trug und List.

2 Wie der edle Balsam fließt
  Und sich von dem Haupt ergießt,
  Weil er von sehr guter Art,
  In des Aarons ganzen Bart;

3 Der herab fließt in sein Kleid,
  Und erreget Lust und Freud;
  Wie befällt der Thau Hermon
  Auch die Berge zu Zion.

4 Denn daselbst verheißt der Herr
  Reichen Segen nach Begehr,
  Und das Leben in der Zeit,
  Und auch dort in Ewigkeit.

5 Aber ach! wie ist die Lieb
  So verloschen, daß kein Trieb
  Mehr auf Erden wird gespürt,
  Der des andern Herze rührt.

6 Jedermann lebt für sich hin
In der Welt nach seinem Sinn,
Denkt an keinen andern nicht,
Wo bleibt da die Liebespflicht?

7 O Herr Jesu, Gottes Sohn!
Schaue doch von deinem Thron,
Schaue die Zerstreuung an,
Die kein Mensche bessern kann.

8 Sammle, großer Menschenhirt,
Alles, was sich hat verirrt:
Laß in deinem Gnadenschein
Alles ganz vereinigt seyn.

9 Gieß den Balsam deiner Kraft,
Der dem Herzen Leben schafft,
Tief in unser Herz hinein,
Strahl in uns den Freudenschein.

10 Bind zusammen Herz und Herz,
Laß uns trennen keinen Schmerz:
Knüpfe selbst durch deine Hand
Das geheilg'te Brüder=Band.

11 So, wie Vater, Sohn und Geist
Drey und doch nur Eines heißt,
Wird vereinigt ganz und gar
Deine ganze Liebesschaar.

12 Was für Freude, was für Lust,
Wird uns da nicht seyn bewußt!
Was sie wünschet und begehrt,
Wird von Gott ihr selbst gewährt.

13 Alles, was bisher verwundt,
Wird mit Lob aus einem Mund
Preisen Gottes Liebesmacht,
Wenn er all's in eins gebracht.

14 Kraft, Lob, Ehr und Herrlichkeit
Sey dem Höchsten allezeit,
Der, wie er ist Drey in Ein,
Uns in ihm läßt eines seyn.

------

(12)

Himmel, Erde, Luft und Meer
Zeugen von des Schöpfers Ehr!
Meine Seele, singe du,
Bring auch jetzt dein Lob herzu.

2 Seht, das große Sonnenlicht,
An dem Tag die Wolken bricht,
Auch der Mond und Sternen Pracht
Jauchzen Gott bey stiller Nacht.

3 Seht, der Erden runden Ball
Gott geziert hat überall,
Wälder, Felder mit dem Vieh
Zeigen Gottes Finger hie.

4 Seht, wie fleucht der Vögel Schaar,
In den Lüften Paar bey Paar;
Donner, Blitz, Dampf, Hagel, Wind,
Seines Willens Diener sind.

5 Seht der Waſſer Wellenlauf,
  Wie ſie ſteigen ab und auf,
  Durch ihr Rauſchen ſie auch noch
  Preiſen ihren Herren hoch.

6 Ach mein Gott! wie wunderlich
  Spüret meine Seele dich!
  Drücke ſtets in meinen Sinn,
  Was du biſt, und was ich bin.

---

(13)

Kommt, und laßt euch Jeſum lehren;
  Kommt und lernet allzumal,
Welche die ſeyn, die gehören
  In der rechten Chriſten Zahl;
Die bekennen mit dem Mund,
Glauben auch von Herzensgrund,
Und bemühen ſich darneben,
Guts zu thun, ſo lang ſie leben.

2 Selig ſind, die Demuth haben,
  Und ſind allzeit arm am Geiſt.
Rühmen ſich ganz keiner Gaben,
  Daß Gott werd allein gepreißt,
Danken dem auch für und für,
Denn das Himmelreich iſt ihr.
Gott wird dort zu Ehren ſetzen,
Die ſich ſelbſt gering hie ſchätzen.

3 Selig sind, die Leide tragen,
  Da sich göttlich Trauern findt,
  Die beseufzen und beklagen
  Ihr' und andrer Lente Sünd;
  Die deshalben traurig gehn,
  Oft vor Gott mit Thränen stehn;
  Diese sollen noch auf Erden,
  Und dann dort getröstet werden.

4 Selig sind die frommen Herzen,
  Da man Sanftmuth spüren kann,
  Welche Hohn und Trutz verschmerzen,
  Weichen gerne Jedermann,
  Die nicht suchen eigne Rach,
  Und befehlen Gott die Sach:
  Diese will der Herr beschützen,
  Daß sie noch das Land besitzen.

5 Selig sind, die sehnlich streben
  Nach Gerechtigkeit und Treu,
  Daß in ihrem Thun und Leben
  Kein' Gewalt noch Unrecht sey;
  Die da lieben Gleich und Recht,
  Sind aufrichtig, fromm und schlecht,
  Geiz, Betrug und Unrecht hassen,
  Die wird Gott satt werden lassen.

6 Selig sind, die aus Erbarmen
  Sich annehmen Fremder Noth,
  Sind mitleidig mit den Armen,
  Bitten treulich für sie Gott;

Die behülflich sind mit Rath,
Auch wo möglich mit der That,
Werden wieder Hülf empfangen,
Und Barmherzigkeit erlangen.

7 Selig sind, die funden werden
Reines Herzens jederzeit,
Die in Werk, Wort und Geberden,
Lieben Zucht und Heiligkeit;
Diese, welchen nicht gefällt
Die unreine Lust der Welt,
Sondern sie mit Ernst vermeiden,
Werden schauen Gott mit Freuden.

8 Selig sind die Friede machen,
Und drauf sehn ohn Unterlaß,
Daß man mög in allen Sachen
Fliehen Hader, Streit und Haß.
Die da stiften Fried und Ruh,
Rathen allerseits dazu,
Sich auch Friedens selbst befleißen,
Werden Gottes Kinder heißen.

9 Selig sind, die müssen dulden
Schmach, Verfolgung Angst und Pein,
Da sie es doch nicht verschulden,
Und gerecht befunden seyn;
Ob des Kreuzes gleich ist viel,
Setzet Gott doch Maaß und Ziel,
Und hernach wird er's belohnen
Ewig mit den Ehrenkronen.

10 Herr! regier zu allen Zeiten
Meinen Wandel hier auf Erd,
Daß ich solcher Seligkeiten
Aus Genaden fähig werd!
Gieb daß ich mich acht' gering,
Meine Klag oft vor dich bring,
Sanftmuth auch an Feinden übe,
Die Gerechtigkeit stets liebe;

11 Daß ich Armen helf und diene,
Immer hab ein reines Herz,
Die im Unfried stehn, versühne,
Dir anhang in Freud und Schmerz.
Vater! hilf von deinem Thron,
Daß ich glaub an deinen Sohn,
Und durch deines Geistes Stärke
Mich befleiße rechter Werke!

————

(13)

Schaffet, schaffet, meine Kinder,
Schaffet eure Seligkeit:
Banet nicht, wie freche Sünder,
Nur auf gegenwärt'ge Zeit;
Sondern schauet über euch,
Ringet nach dem Himmelreich,
Und bemühet euch auf Erden,
Wie ihr möget selig werden.

2 Daß nun dieſes mög geſchehen,
  Müßt ihr nicht nach Fleiſch und Blut.
  Und deſſelben Neigung gehen;
  Sondern was Gott will und thut,
  Das muß ewig und allein
  Eures Lebens Richtſchnur ſeyn,
  Es mag Fleiſch und Blut in allen
  Uebel oder wohl gefallen.

3 Ihr habt Urſach zu bekennen,
  Daß in euch auch Sünde ſteckt;
  Daß ihr Fleiſch von Fleiſch zu nennen,
  Daß euch lauter Elend deckt;
  Und daß Gottes Gnadenkraft
  Nur allein das Gute ſchafft;
  Ja daß, außer ſeiner Gnade,
  In euch nichts dann Seelenſchade.

4 Selig, wer im Glauben kämpfet,
  Selig, wer im Kampf beſteht,
  Und die Sünde in ſich dämpfet,
  Selig, wer die Welt verſchmäht.
  Unter Chriſti Kreuzes Schmach
  Jaget man dem Frieden nach:
  Wer den Himmel will ererben,
  Muß zuvor mit Chriſto ſterben.

5 Werdet ihr nicht treulich ringen,
  Sondern träg und läſſig ſeyn,
  Eure Neigung zu bezwingen,
  So bricht eure Hoffnung ein;

Ohne tapfern Streit und Krieg
Folget niemals rechter Sieg ;
Wahren Siegern wird die Krone
Nur zum beygelegten Lohne.

6 Mit der Welt sich lustig machen,
Hat bey Christen keine Statt,
Fleischlich reden, thun und lachen,
Schwächt den Geist und macht ihn matt.
Ach! bey Christi Kreuzesfahn
Geht es wahrlich niemals an,
Daß man noch mit frechem Herzen
Sicher wolle thun und scherzen.

7 Furcht muß man vor Gott stets tragen,
Denn der kann mit Leib und Seel
Uns zur Höllen niederschlagen:
Er ist's, der des Geistes Oel,
Und nachdem es ihm beliebt,
Wollen und Vollbringen giebt.
Oh! so laßt uns zu ihm gehen,
Ihn um Gnade anzuflehen,

8 Und danu schlagt die Sündenglieder,
Welche Adam in euch regt,
In dem Kreuzestod darnieder,
Bis ihm seine Macht gelegt.
Hauet Händ und Füße ab,
Was euch ärgert, senkt ins Grab,
Und denkt mehrmals an die Worte:
Dringet durch die enge Pforte.

9 Zittern will ich vor der Sünde,
Und dabey auf Jesum sehn,
Bis ich seinen Beystand finde,
In der Gnade zu bestehn.
Ach, mein Heiland! geh doch nicht
Mit mir Armen ins Gericht;
Gieb mir deine Geistes Waffen,
Meine Seligkeit zu schaffen.

10 Amen! es geschehe, Amen!
Gott versiegle dieß in mir;
Auf daß ich in Jesu Namen
So den Glaubenskampf ausführ.
Er, er gebe Kraft und Stärk,
Und regiere selbst das Werk,
Daß ich wache, bäte, ringe,
Und also zum Himmel dringe.

----

(6)

Mensch! willt du nimmer traurig seyn,
So fleiß dich recht zu leben;
Die Sünde bringet ew'ge Pein,
Darwider muß man streben.
Ueb' dich mit Ernst, daß du recht lernst
Dich selbst am ersten kennen.
Dein Herz mach rein, und acht dich klein,
So mag man dich groß nennen.

2 Sich selbst erkennen ist dem schwer,
Der andern gern nachredte;
Gedächt er vorhin wer er wär,
Fürwahr er solchs nicht thäte.
Sieh dich selbst an, laß Jedermann
Ohn Nachred, schweig dein Munde,
Daß nicht am End du werdest g'schänd,
In ein'm unrechten Grunde.

3 Wie du missest, so mißt man dir,
Wie Christus hat gesprochen,
Er ist gerecht, thut dir wie mir,
Kein Sünd bleibt ungerochen;
Darum fürcht Gott, halt sein Gebot,
Kein Guts läßt er unb'lohnt,
Bitt ihn um Gnad, gleich früh und spat,
Daß unser werd verschonet.

4 Die Sünd zu meiden ist uns noth,
Wollen wir selig werden,
Dann fleischlich g'sinnet ist der Tod,
Wie Paulus uns thut melden.
Verlaßt die Welt, Haab, Gut und Geld,
Wer stets gedenkt ans Sterben,
Der hat zuletzt erwählt das Best,
Christ thu uns Gnad erwerben.

5 Die Bußwirkung in dieser Zeit
Ists allerbeste Vortheil.
Zu überwinden in dem Streit,
Eh man hört das letzt Urtheil.
Wer das veracht, und nicht betracht,

Muß schwere Rechnung geben;
Er seh sich für, daß ihm die Thür
Nicht werd versperrt zum Leben.

6 Kein bleibend Statt hond wir allhie,
Steht uns wohl zu bedenken;
Weiß auch Niemand, wann oder wie
Der Tod ihn werde kränken.
Er wohnt uns bey, wir sind nicht frey
Ein Augenblick zu leben,
Dem Fleisch ist schwer, merk Knecht und
  Herr,
Wem Gott's Hülf nicht wird geben.

7 Wer Gott liebt und sein'n Nächsten,
Dem dient all Ding zu Gute,
Es sey gleich Glück oder Bresten,
Durch G'duld empfäht gleich'n Muthe.
Er giebt und nimmt, wie es sich ziemt,
Ist redlich in all'n Sachen,
Er redt und lehrt, wie er begehrt
Ihm selbst sein Ding zu machen.

8 Dann wer hie lebt in der Wahrheit,
Den will Gott nicht verlassen,
Er ist uns zu erhören b'reit,
So wir die Sünden hassen.
O Jesu Christ! dein Geist der ist
Ein Tröster unser Armen,
Verlaß uns nicht, durch dein Vorbitt
Thu dich unser erbarmen.

9 Dabey will ich beschlossen hon
Allhie diß mein Gesange,
Ich halt, man soll mich recht verstohn,
Niemand säum' sich zu lange.
Die Art ist b'reit an d' Wurzel g'leit,
Thut uns Johannes sagen,
Viel Jahr sind für, näher sind wir
Gegen dem letzten Tage.

---

(13)

Gute Nacht, ihr meine Lieben;
Gute Nacht, ihr Herzensfreund;
Gute Nacht, die sich betrüben,
Und aus Lieb für mich jetzt weint;
Scheid' ich gleichwohl von euch ab,
Und ihr legt mein Leib ins Grab,
Wird er wieder auferstehen,
Und ich werd euch ewig sehen.

2 O wie werd ich euch umfassen,
Und auch herzen mit Begier;
Muß ich euch ein' Zeit verlassen,
Welches zwar betrübet hier,
Bringts ein Tag dort wieder ein,
Wann wir werden selig seyn.
Ewig wird kein Müh uns reuen,
Tausend, tausendmal mehr freuen.

13

3 O wie schnell eilt doch zum Ende
   Das bestimmte Lebensziel;
   Gott von Himmel, hilf doch, sende,
   Daß wir uns nicht mehr so viel
   Hier versäumen mit der Welt,
   Die in Sünden sich aufhält,
   Die man billig muß hier meiden,
   Eh daß Leib und Seel sich scheiden.

4 Zwar hat mir ohn mein Verhoffen
   Der sehr harte Todespfeil
   Mein Herz, Leib und Seel getroffen,
   Nahm mich hin in schneller Eil:
   Drum, ihr Liebsten, bät und wacht,
   Ich wünsch euch ewig gut' Nacht:
   Gott laß euch nur selig sterben,
   Daß ihr könnt den Himmel erben.

5 Meine zarten Jugendjahren,
   Und Plaisir der Tage mein,
   Sind so schnell dahin gefahren,
   Daß man meynt es könnt nicht seyn;
   Wann man lebt ohn Klag und Noth,
   Und in elf Tagen hat der Tod
   Schon die Seel vom Leib getrennet,
   Daß man mich im Sarg kaum kennet.

6 Doch hofft meine Seel zu finden
   Trost in meines Jesu Tod,
   Der zum sel'gen Ueberwinden
   Mich kann führen aus der Noth,

Und erlösen von der Quaal,
Daß ich werd' im Himmels-Saal
Mit den Engelu Gott Lob bringen,
Ewigs Hallelujah singen.

7 Seyd getrost, ihr Freund und Brüder,
Seyd getrost, ihr Schwestern gar,
Seyd getrost, herzliebste Glieder,
Gottes Wort bleibt ewig wahr,
Welches sagt: im Himmelreich
Werden die Gerechten gleich
Wie die helle Sonne leuchten;
O! daß wirs nur bald erreichten.

8 Habt ihr, Elteru, mich geliebet,
Und nebst Gott für mich gewacht?
Hab ich euch zwar oft betrübet,
Schenkt mirs doch zur guten Nacht.
Was ich hab an euch verfehlt,
Reut mich herzlich unverhehlt:
Gott woll euch viel Gnade schenken,
Und in Jesu mein gedenken.

9 Nun adje! wir müssen scheiden,
Und mein Leib eilt in die Erd;
Mußt im Tod viel Schmerz ich leiden,
Hoff ich, daß mir Jesus werd'
Durch die Liebe, Gunst und Huld,
Gottes Gnade und Geduld,
Meine Sünden mir vergeben,
Und mir schenken ewigs Leben.

13*

10 Weil mein Jammer ist zum Ende,
Mein herzliebste Eltern werth,
Dankt es Gottes Liebeshände,
Seyd nicht mehr um mich beschwert;
Vater, Mutter, habt gut Nacht,
Denkt: Gott hat es wohl gemacht;
Thut er zwar eu'r Herz betrüben,
Thut er mich und euch doch lieben.

11 Gute Nacht, ihr meine Kinder,
Gute Nacht, herzliebstes Weib;
Liebten wir uns doch nicht minder,
Als ein Herz, Geist, Seel und Leib:
Gott die Liebe uns belohnt,
Weil in Liebe wir gewohnt;
Was in Jesu Lieb sich kennet,
Wird auch nicht im Tod getrennet.

(13)

Denket doch, ihr Menschenkinder,
An den letzten Lebenstag,
Denket doch, ihr freche Sünder,
An den letzten Stundenschlag!
Heute sind wir frisch und stark,
Morgen füllen wir den Sarg,
Und die Ehre, die wir haben,
Wird sogleich mit uns begraben.

2 Doch wir arme Menschen ſehen
  Nur was in die Augen fällt,
Was nach dieſem ſoll geſchehen,
  Bleibt an ſeinen Ort geſtellt,
An der Erde kleben wir,
Leider! über die Gebühr,
Aber nach dem andern Leben,
Will der Geiſt ſich nicht erheben.

3 Das Gewiſſen ſchläft im Leben,
  Doch im Tode wacht es auf,
Da ſieht man vor Augen ſchweben
  Seinen ganzen Lebenslauf;
Alle ſeine Koſtbarkeit,
Gäbe man zur ſelben Zeit,
Wenn man nur geſcheh'ne Sachen
Ungeſchehen köunte machen.

4 Stündlich ſprich: in deine Hände,
  Herr! befehl ich meinen Geiſt;
Daß dich nicht ein ſchnelles Ende
  Unverhofft von hinnen reißt,
Selig wer ſein Haus beſtellt,
Gott kommt oft unangemeld't,
Und des Menſchen Sohn erſcheinet,
Zu der Zeit da man's nicht meinet.

5 Jetzund iſt der Tag des Heiles,
  Und die angenehme Zeit,
Aber leider! meiſtentheiles
  Leb't die Welt in Sicherheit.

Täglich ruft der treue Gott,
Doch die Welt treibt ihren Spott,
Ach die Stunde wird verfließen
Und Gott wird den Himmel schließen.

6 Nach Verfließung dieses Lebens
Hält Gott keine Gnadenwahl,
Jener Reiche rief vergebens,
In der Pein und in der Qual,
Fremdes Bitten hilft euch nicht,
Und wer weiß ob's auch geschicht,
Also fall't in wahrer Buße,
Eurem Gott ja selbst zu Fuße.

7 Diese Gabe zu erlangen,
Sparet das Gebäte nicht,
Netzt mit Thränen eure Wangen,
Bis daß Gott erbarmet sich,
Rufet Jesu Christo nach,
Wie er dort am Kreuze sprach,
Vater nimm an meinem Ende,
Meine Seel in deine Hände.

———

(14)

Alle Christen hören gerne
Von dem Reich der Herrlichkeit,
Dann sie meynen schon von Ferne,
Daß es ihnen sey bereit;

Aber wann sie hören sagen,
Daß man Christi Kreuz muß tragen,
Wann man will sein Jünger seyn,
O so stimmen wenig ein.

2 Lieblich ist es anzuhören:
Ihr Beladne, kommt zu mir.
Aber das sind harte Lehren:
Gehet ein zur engen Thür.
Hört man Hosianna singen,
Lautets gut; läßts aber klingen,
Kreuz'ge! ists ein andrer Ton,
Und ein jeder lauft davon.

3 Wann der Herr zu Tische sitzet,
Giebt er da, was fröhlich macht;
Wann er Blut am Oelberg schwitzet,
So ist Niemand, der da wacht,
Summa, Jesus wird gepreiset,
Wann er uns mit Troste speiset;
Aber wann er sich versteckt,
Wird man alsobald erschreckt.

4 Jesum nur alleine lieben,
Darum weil er Jesus ist,
Sich um ihn allein betrüben:
Kannst du das, mein lieber Christ?
Sollt auch Jesus von dir fliehen,
Und dir allen Trost entziehen,
Wolltest du doch sagen hier:
Dennoch bleib ich stets an dir.

5 Ja Herr! nur um deinetwillen
Bist du werth, geliebt zu seyn!
Und der Seelen Wunsch zu füllen,
Bist du gütig, heilig, rein!
Wer dein höchst vollkommnes Wesen
Hat zu lieben auserlesen,
Trifft in deiner Liebe an
Alles, was vergnügen kann.

6 Laß mich über alles achten,
Was die Seele an dir findt;
Sollte Leib und Seel verschmachten,
Weiß ich doch, daß sie gewinnt:
Dann du bist in allem Leide,
Jesu! lauter Trost und Freude,
Und was ich allhier verlier,
Findt sich besser doch in dir.

———

(14)

Alle Menschen müssen sterben,
Alles Fleisch vergeht wie Heu,
Was da lebet, muß verderben;
Soll es anders werden neu.
Dieser Leib der muß verwesen,
Wann er anders soll genesen
Der so großen Herrlichkeit,
Die den Frommen ist bereit.

2 Drum so will ich dieses Leben,
  Weil es meinem Gott beliebt,
  Auch ganz willig von mir geben,
  Bin darüber nicht betrübt:
  Denn in meines Jesu Wunden
  Hab ich schon Erlösung funden,
  Und mein Trost in Todesnoth
  Ist des Herren Christi Tod.

3 Christus ist für mich gestorben,
  Und sein Tod ist mein Gewinn;
  Er hat mir das Heil erworben;
  Drum fahr ich mit Freud dahin,
  Hier aus diesem Weltgetümmel,
  In den schönen Gottes-Himmel,
  Da ich werde allezeit
  Schauen die Dreyeinigkeit.

4 Da wird seyn das Freudenleben,
  Da viel tausend Seelen schon
  Seynd mit Himmelsglanz umgeben,
  Dienen Gott vor seinem Thron:
  Da die Seraphinen prangen,
  Und das hohe Lied anfangen:
  Heilig, heilig, heilig heißt
  Gott der Vater, Sohn und Geist.

5 Da die Patriarchen wohnen,
  Die Propheten allzumal,
  Wo auf ihren Ehrenthronen
  Sitzet die gezwölfte Zahl,

Wo in so viel tausend Jahren
Alle Frommen hingefahren,
Da wir unserm Gott zu Ehr'n
Ewig Hallelujah hör'n.

6 O Jerusalem, du schöne!
Ach wie helle glänzest du,
Ach wie lieblich Lobgetöne
Hört man da in süßer Ruh;
Ach der großen Freud und Wonne,
Wann mir wird aufgehn die Sonne,
Und der unendliche Tag,
Da ich also singen mag.

7 Ach ich habe schon erblicket
Alle diese Herrlichkeit:
Jetzund werd ich schön geschmücket
Mit dem weißen Himmelskleid,
Und der güldnen Ehrenkrone,
Stehe da vor Gottes Throne,
Schaue solche Freude an,
Die kein Ende nehmen kann.

8 Hier will ich nun ewig wohnen;
Meine Lieben, gute Nacht!
Eure Treu wird Gott belohnen,
Die ihr habt an mir vollbracht:
Allesammt ihr Anverwandten,
Gute Freunde und Bekannten,
Lebet wohl, zu guter Nacht!
Gott sey Dank, es ist vollbracht.

(14)

Demuth ist die schönste Tugend,
Aller Christen Ruhm und Ehr,
Denn sie zieret unsre Jugend,
Und das Alter noch vielmehr.
Pflegen sie auch nicht zu loben,
Die zu großem Glück erhoben;
Sie ist mehr als Gold und Geld,
Und was herrlich in der Welt.

2 Siehe, Jesus war demüthig,
Er erhob sich selbsten nicht,
Er war freundlich, lieblich, gütig,
Wie uns Gottes Wort bericht;
Man befand in seinem Leben
Gar kein Prangen und Erheben,
Darum spricht er zu mir und dir:
Lerne Demuth doch von mir.

3 Wer der Demuth ist beflissen,
Ist bey Jedermann beliebt;
Wer da nichts will seyn und wissen,
Der ist's, dem Gott Ehre giebt:
Demuth hat Gott stets gefallen,
Sie gefällt auch denen allen,
Die auf Gottes Wegen gehn,
Und in Jesu Liebe stehn.

4 Demuth machet nicht verächtlich,
Wie die stolze Welt ausschreyt,
Wenn sie frech und unbedächtlich
Die Demüthigen ausspeyt;

Stolze müssen selbst gestehen,
Wenn sie Fromme um sich sehen,
Daß doch Demuth edler ist,
Als ein frecher, stolzer Christ.

5 Demuth bringet großen Segen,
Und erlanget Gottes Gnad,
An ihr ist gar viel gelegen,
Denn wer diese Tugend hat,
Der ist an der Seel geschmücket,
Und in seinem Thun beglücket,
Er ist glücklich in der Zeit,
Selig auch in Ewigkeit.

6 Diese edle Demuthsgaben,
So da sind des Glaubens Frucht,
Wird ein jeder Christe haben,
Welcher sie von Herzen sucht.
Wo der Glaub wird angezündet,
Da ist Demuth auch gegründet;
Glaube, Hoffnung, Demuth, Lieb,
Kommt aus Gottes Geistes Trieb.

7 Ich will auch demüthig werden:
Demuth macht das Herze rein,
Es soll Demuth in Geberden,
Demuth soll im Herzen seyn,
Demuth gegen meine Freunde,
Demuth gegen meine Feinde,
Demuth gegen meinen Gott,
Demuth auch im Kreuz und Spott.

8 Auf die Demuth folget Wonne,
   Gottes Gnade in der Zeit,
   Und dort bey der Freudensonne,
   Friede, Licht und Herrlichkeit.
   Da wird Demuth herrlich prangen,
   Und die Ehrenkron erlangen,
   Was man hie gering geacht,
   Leuchtet dort ins Himmels Pracht.

---

(14)

Ach Gott und Herr! wie groß und schwer
   Sind mein' begangne Sünden.
   Da ist niemand, der helfen kann,
   In dieser Welt zu finden.

2 Lief ich gleich weit, zu dieser Zeit,
   Bis an der Welt ihr Ende,
   Und wollt los seyn, des Kreuzes Pein,
   Würd ich doch solch's nicht wenden.

3 Zu dir flieh ich, verstoß nicht mich,
   Wie ichs wohl hab verdienet;
   Herr! ins Gericht, geh mit mir nicht,
   Dein Sohn hat mich versühnet.

4 Solls ja so seyn, daß Straf und Pein
   Auf Sünden folgen müssen;
   So fahr hie fort, doch schone dort,
   Und laß mich hier wohl büßen.

5 Gieb, Herr! Geduld, vergieb die Schuld,
Schenk ein gehorsam Herze,
Daß ich ja nicht, wie's oft geschicht,
Mein ewig Heil verscherze.

6 Handel mit mir, wie's dünket dir,
Durch dein Gnad will ichs leiden,
Laß nur nicht mich dort ewiglich
Von dir seyn abgeschieden.

---

(15)

Sieh, hie bin ich, Ehrenkönig!
Lege mich vor deinen Thron;
Schwache Thränen, kindlich Sehnen,
Bring ich dir, du Menschensohn!
Laß dich finden, laß dich finden,
Von mir, der ich Asch und Thon.

2 Sieh doch auf mich, Herr, ich bitt dich,
Lenke mich nach deinem Sinn,
Dich alleine, ich nur meyne,
Dein erkaufter Erb ich bin:
Laß dich finden :,:
Gieb dich mir, und nimm mich hin.

3 Ich begehre nichts, o Herre!
Als nur deine freye Gnad,
Die du giebest, den du liebest,
Und der dich liebt in der That:
Laß dich finden :,:
Der hat alles, wer dich hat.

4 Himmelssonne, Seelenwonne,
  Unbeflecktes Gottes Lamm!
  In der Höhle, meine Seele
  Suchet dich, o Bräutigam!
  Laß dich finden :,:
  Starker Held aus Davids Stamm.

5 Hör, wie kläglich, wie beweglich
  Dir die arme Seele singt,
  Wie demüthig und wehmüthig
  Deines Kindes Stimme klingt:
  Laß dich finden :,:
  Denn mein Herze zu dir dringt.

6 Dieser Zeiten Eitelkeiten,
  Reichthum, Wollust, Ehr und Freud,
  Seynd nur Schmerzen meinem Herzen,
  Welches sucht die Ewigkeit:
  Laß dich finden :,:
  Großer Gott! mach mich bereit.

(15)

Mensch! sag an, was ist dein Leben?
  Eine Blum und dürres Laub,
  Das am Zweige kaum mag kleben,
  Und verkreucht sich in den Staub,
  Dies bedenke, Menschenkind,
  Weil wir alle sterblich sind.

2 Was ist Adel, hoch Geschlechte?
Was ist hochgeboren seyn?
Muß der Herr doch mit dem Knechte
Leiden bittre Todespein:
Kaiser, König, Edelmann,
Alle müssen sie daran.

3 Was ist Weisheit? was sind Gaben?
Was ist hochgelehrte Kunst?
Was hilft Ehr und Ansehn haben,
Und bey Herren große Gunst?
Dringt sich doch der Tod hinein,
Nichts hilft klug und weise seyn.

4 Was ist Reichthnm? was sind Schätze?
Nur ein glänzend gelber Koth:
Mensch, darauf dein Herz nicht setze,
Sieh die Zeit an und den Tod.
Dieser träumt das Leben hin,
Jene frißt Gut und Gewinn.

5 Was ist Jugend und Schöne?
Ach ein weißer Wasserschaum.
Helle Stimm und süß Getöne?
Ach ein leer und nicht'ger Traum!
Schönheit wie ein Dampf vergeht,
Und nicht vor dem Tod besteht.

6 Was ist Jugend, frische Jahre?
In der besten Blüthe stehn?
Junger Muth und graue Haare
Müssen mit dem Tode gehn:

Ist doch hie kein Unterscheid
Unter jung und alten Leut.

7 Menschentöchter, Menschensöhne,
Laßt euch dies gesaget seyn:
Seyd ihr hoch, weiß, reich und schöne,
Ihr seyd doch nur Todtenbein,
Hier ein wohlgeschmückter Bau,
Nach dem Tod der Würmer Au.

8 Staub und Asche, willt du prangen
Mit dem Wissen und Verstand?
Mit der Röthe deiner Wangen,
Mit dem Gold an deiner Hand?
Kann es doch nicht helfen dir,
Wann der Tod klopft an der Thür.

9 Menschenkind, nimm dies zu Herzen,
Hier ist Leben, hier ist Tod,
Hier ist Freude, hier sind Schmerzen;
Willt du meiden ewig Noth,
Denke, daß du sterben mußt,
So erstirbst der Sündenlust.

10 Leg ab Mißgunst, Neid und Hassen,
Demuth lieb, laß Hoffarth seyn,
Alles mußt du andern lassen.
Nackt zur Grube kriechen ein.
Heute bist du Herr im Haus,
Morgen trägt man dich hinaus.

14

11 Wer dies klüglich wird erwägen,
Der wird als ein rechter Christ,
Falsch= und Bosheit von sich legen,
Denken auch zu jeder Frist,
Wie er mögte fertig seyn,
Wann sein letzter Tag bricht ein.

12 Ach Herr Jesu! wollst uns lehren,
Wie, woher, wann kommt der Tod,
Daß wir uns beyzeit belehren,
Und entgehn der Seelen Noth,
Weislich und mit klugem Sinn,
Denken stets aufs Ende hin.

———

(15)

Schicket euch, ihr lieben Gäste!
Zu des Lammes Hochzeitfest!
Schmücket euch aufs allerbeste;
Denn wie sichs ansehen läßt,
Bricht der Hochzeittag herein,
Da ihr sollet fröhlich seyn.

2 Auf, ihr Jüngling und Jungfrauen,
Hebet euer Haupt empor!
Jedermann wird auf euch schauen,
Zeiget euch in schönstem Flor,
Geht entgegen eurem Herru,
Er hat euch von Herzen gern.

3 Und du Königsbraut erscheine,
  Brich hervor in deiner Pracht,
  Du, du bist die Eine reine,
  Welche rufet Tag und Nacht,
  In der zartsten Liebesflamm:
  Komm, du schönster Bräutigam.

4 Zu dem Thron des Königs bringet
  Deiner Stimme süßer Schall;
  O wie schön und lieblich klinget
  Deines Bräut'gams Wiederhall:
  Ja, ich komme, liebste Braut!
  Ruft dein König überlaut.

5 Freuet euch doch derowegen,
  Ihr Beruf'nen allzugleich,
  Lassets euch seyn angelegen,
  Daß ihr fein bereitet euch;
  Kommt zur Hochzeit, kommet bald,
  Weil der Ruf an euch erschallt.

6 Lasset alles stehn und liegen,
  Eilet, eilet, säumet nicht,
  Euch auf ewig zu vergnügen,
  Kommt, der Tisch ist zugericht!
  Dieses Abendmahl ist groß,
  Macht euch aller Sorgen los.

7 Groß ist unsers Gottes Güte,
  Groß des Königs Freundlichkeit,
  Fasset dieses zu Gemüthe,
  Daß ihr recht bereitet seyd,

14*

Seiner Liebe Ueberfluß
Zu erkennen im Genuß.

8 Groß ist auch die Braut! der König
Hat dieselbe hoch erhöht,
Und der Kosten sind nicht wenig:
Viele sind der Gäste, seht!
Die der Herr einladen läßt
Zu dem frohen Hochzeitfest.

9 Keiner ist hier ausgeschlossen,
Der sich selber nicht ausschleußt;
Kommt, ihr lieben Tischgenossen,
Weil die Quelle überfleußt!
Alles, alles ist bereit,
Kommt zur frohen Hochzeitfreud.

10 Höret! wie an vielen Orten
Schon die Knechte rufen: auf!
Folget ihren theuren Worten,
Höret, merket eben drauf!
Dann die letzte Stund ist da,
Und der Hochzeittag sehr nah.

11 Kommet daß ihr euch erlabet,
Denen nichts schmeckt in der Welt,
Die ihr nichts zu zahlen habet,
Kommet, kaufet ohne Geld!
Kostet beyde Milch und Wein,
Alles habt ihr hier gemein.

12 Schauet doch, welch ein Verlangen,
Unser Heiland nach uns hat,
Uns in Liebe zu umfangen!
O der unverdienten Gnad!
Kommet, (ruft er) sollten wir
Länger stille stehen hier?

13 Er will uns so gern aufnehmen,
Wenn wir glaubig zu ihm gehn!
Sollten wir uns dann nicht schämen,
Wann wir länger stille stehn?
Unser bester Freund ist er,
Höret doch, was sein Begehr.

14 O! daß wir doch ganz vergäßen
Unsers Volks und Vaters Haus!
Daß wir seine Lieb genössen,
Gehend vor ihm ein und aus!
O so wird er uns mit Lust
Drücken fest an seine Brust!

15 Daß wir, was auf Erden wäre,
Ganz zu'n Füßen würfen hin!
Daß das Eitle nicht bethöre,
Noch verrücke unsern Sinn:
Daß wir Wollust, Ehr und Freud
Möchten stellen gar beyseit.

16 Daß wir uns nach diesem Ziele
Allesammt dann streckten!
Aber ach, es sind sehr viele,
Die sich hier entschuldigen,

Welche ganz einmüthiglich
Diesem Ruf entziehen sich.

17 Aecker, Ochsen an sich laufen,
Muß bey Vielen vor sich gehn,
Solchen müssen sie nachlaufen,
Und dieselbigen besehn.
Weiber nehmen mit der Welt,
Ist, was Viel gefangen hält.

18 Dieses sind die Band und Stricke,
Die die Menschen ohne Zahl
Fesseln, binden und zurücke
Halten von dem großen Mahl:
Ehrgeiz, Geld und Lustgewinn
Die bezaubern ihren Sinn.

19 O! wie ist die Welt bethöret!
Daß sie daran sich vergaft,
Was doch mit der Zeit aufhöret,
Was gar bald wird weggeraft:
Und was ewiglich ergetzt,
Schnöder Eitelkeit nachsetzt.

20 Aecker laufen, Weiber nehmen,
Soll geschehn als wär es nicht:
O! daß wir uns möchten schämen,
Eh des Höchsten Zorn anbricht.
Und zur tiefen Höllen senkt,
Die ihr Herz der Welt geschenkt.

21 Seine Boten, seine Knechte,
Seufzen, ächzen, klagen nun,
Die uns zeigen seine Rechte,
Bringen vor ihn unser Thun,
Unsere Entschuldigung,
Wann sie thuu Anforderung.

22 Kommt, ihr Armen und Elenden,
Die ihr an den Gassen liegt;
Gott will euch auch Hülfe senden,
Daß ihr werd't in ihm vergnügt.
Hör der Boten Ruf und Schall:
Kommt zum großen Abendmahl!

23 Kommt ihr Krüppel und ihr Blinden,
Die ihr noch entfernet seyd,
Kommt, ihr sollet Gnade finden!
Kommt zum Mahl, es ist bereit;
Seyd getrost! erschrecket nicht,
Euch erscheint das Gnadenlicht.

24 Nicht viel Hohe sind berufen,
Und nicht viel Gewaltige,
Sondern von den niedern Stufen
Steigen viele in die Höh.
Was da niedrig vor der Welt,
Ist, was Gott dem Herru gefällt.

25 Selig sind die geistlich Armen,
Denn das Himmelreich ist ihr:
Ihrer wird sich Gott erbarmen,
Aus dem Staub sie ziehn herfür

Zu der Glorie, Schmuck und Ehr,
Weil sie geben ihm Gehör.

26 Gott erhöret euer Sehnen,
Es ist Raum genug für euch,
Aber keiner soll von denen,
Die den Ruf zu Christi Reich
Schlagen aus, im Himmelssaal,
Schmecken dieses Abendmahl.

---

(16)

Mir nach! spricht Christus, unser Held,
Mir nach, ihr Christen alle:
Verleugnet euch, verlaßt die Welt,
Folgt meinem Ruf und Schalle;
Nehmt euer Kreuz und Ungemach
Auf euch, folgt meinem Wandel nach.

2 Ich bin das Licht, ich leucht euch für
Mit heil'gem Tugendleben,
Wer zu mir kommt und folget mir,
Darf nicht im Finstern schweben;
Ich bin der Weg, ich weise wohl,
Wie man wahrhaftig wandeln soll.

3 Mein Herz ist voll Demüthigkeit,
Voll Liebe meine Seele,
Mein Mund der fleußt zu jeder Zeit
Von süßem Sanftmuthsöle.
Mein Geist, Gemüthe, Kraft und Sinn
Ist Gott ergeben, schaut auf ihn.

4 Ich zeig' euch das, was schädlich ist,
   Zu fliehen und zu meiden,
Und euer Herz von arger List
   Zu rein'gen und zu scheiden.
Ich bin der Seelen Fels und Hort,
Und führ euch zu der Himmelspfort.

5 Fällts euch zu schwer, ich geh voran,
   Ich steh euch an der Seite,
Ich kämpfe selbst, ich brech die Bahn,
   Bin alles in dem Streite.
Ein böser Knecht, der still darf stehn,
Wenn er den Feldherrn sicht angehn.

6 Wer seine Seel zu finden meynt,
   Wird sie ohn' mich verlieren;
Wer sie hier zu verlieren scheint,
   Wird sie in Gott einführen.
Wer nicht sein Kreuz nimmt und folgt mir,
Ist mein nicht werth und meiner Zier.

7 So laßt uns denn dem lieben Herrn
   Mit Leib und Seel nachgehen,
Und wohlgemuth, getrost und gern,
   Bey ihm im Leiden stehen!
Denn wer nicht kämpft trägt auch die Kron
Des ew'gen Lebens nicht davon.

(16)

Liebet nicht allein die Freunde,
  Wo ihr Christen heißen wollt:
Liebet auch die ärgsten Feinde,
So wird euch der Himmel hold;
Wer den Zorn kann überwinden,
Der wird bei Gott Gnade finden.

2 Alle Gaben, alle Schätze,
Die dein Herz dem Höchsten bringt,
Laufen wider das Gesetze,
Wo man nicht den Zorn bezwingt;
Opfergluth und Eiferflammen
Stimmen nimmermehr zusammen.

3 Liebe treulich, die dich hassen;
Segne diesen, der dir flucht:
Trachte den nicht zu verlassen,
Der dich zu verderben sucht;
Wohl thun ist bei dieser Sache,
Glaub es mir, die beste Rache.

4 Wer die Liebe weiß zu hegen
Giebt sich keinem Feinde blos,
Und des Himmels Gnadenregen
Fällt ihm richtig in den Schoos;
Wer hergegen Feindschaft übet,
Wird nur durch sich selbst betrübet.

5 Höchster! dessen Wundergüte
Uns das Lieben anbefiehlt;
Lenke, bitt ich, mein Gemüthe,
Wann der Satan auf mich zielt,

Und auf seinen Sündenwegen,
Mich zur Feindschaft will bewegen.

6 Pflanze deiner Sanftmuth Reiser
In das dürre Herzensfeld,
Zeige mir die Friedenshäuser
Nach den Kriegen dieser Welt;
Und laß also deinen Willen
Allen Widerwillen stillen.

------

(16)

Ach Herr Jesu! schau in Gnaden
Unsere Versammlung an;
Die wir noch mit Sünd beladen
Mit Untugend angethan,
Wagens doch vor dich zu treten,
Dich, o Liebster, anzubeten.

2 Ach Herr! erleuchte deine Knecht',
Die vor dich sollen treten,
Gieb ihnen, deine Worte recht
Durch deinen Geist zu reden,
Daß doch der reine Saame dein
In jedes Herze falle ein.

3 Ach laß dein Wort und Geistes Kraft
Von Herz zu Herz durchdringen;
Hilf, daß wir von der Sünden Macht
Durch deine Gnad entrinnen,
Und pflanze uns als Rebelein
An dir dem wahren Weinstock ein.

(17)

O daß doch bey der reichen Erndte,
Womit du Höchster! uns erfreust,
Ein jeder froh empfinden lernte,
Wie reich du uns zu segnen seyst;
Wie gern du unsern Mangel stillst,
Und uns mit Speis und Freud erfüllst.

2 Du siehst es gern, wenn deiner Güte,
Vater! unser Herz sich freut;
Und ein erkenntliches Gemüthe
Auch das, was du für diese Zeit
Uns zur Erquickung hast bestimmt,
Mit Dank aus deinen Händen nimmt.

3 So kommt denn, Gottes Huld zu feyern,
Kommt Christen, laßt uns seiner freu'n,
Und bei den angefüllten Scheuern,
Dem Herrn der Erndte dankbar seyn.
Ihm, der uns stets Versorger war,
Bringt neuen Dank zum Opfer dar!

4 Nimm gnädig an das Lob der Liebe,
Das unser Herz dir, Vater! weiht:
Dein Segen mehr' in uns die Triebe
Zum thät'gen Dank, zur Folgsamkeit;
Daß Preis für deine Vatertreu
Auch unser ganzes Leben sey.

5 Du nährest uns blos aus Erbarmen;
Dies treib' auch uns zum Wohlthun an.
Nun sey auch gern ein Trost der Armen,

Wer ihren Mangel stillen kann.
Herr! der du aller Vater bist,
Gieb jedem was ihm nützlich ist.

6 Thu deine milden Segenshände,
Uns zu erquicken ferner auf;
Versorg uns bis an unser Ende,
Und mach in unserm Lebenslauf
Uns dir im Kleinsten auch getreu,
Daß einst uns größres Glück erfreu.

7 Bewahr uns den geschenkten Segen;
Gieb, daß uns sein Genuß gedeih',
Und unser Herz auch seinetwegen
Dir dankbar und ergeben sey.
Du, der uns täglich nährt und speist,
Erquick auch ewig unsern Geist.

———

(17)

Ach! wie betrübt sind fromme Seelen
Allhier in dieser Jammerwelt,
Wer kann ihr Leiden alles zählen,
Das sie gar wie gefangen hält?
Es quälet mich und kränket sehr,
Ach wenn ich nur im Himmel wär.

2 Ich mag mich wo ich will hinwenden,
So seh ich nichts als Angst und Noth,
Ein Jeder hat sein Kreuz in Händen,
Und sein bescheiden Thränenbrod,

Ich bin betrübet allzusehr,
Ach wenn ich nur im Himmel wär.

3 Hier lebt der Mensch ja stets im Jammer,
Mit Jammer kommt die Abendruh,
Mit Jammer geht er aus der Kammer,
Mit Jammer bringt er alles zu:
Das macht das Leben freilich schwer,
Ach wenn ich nur im Himmel wär.

4 Hier kann das Glücke zwar was machen,
Doch kommts nicht jedem in das Haus,
Dem einen bringt es stets zu lachen,
Dem andern preßt es Thränen aus;
Ich bin betrübet allzusehr,
Ach wenn ich nur im Himmel wär.

5 Im Himmel wird das Kreuz der Erden,
Und was mich hier zu Boden drückt,
Zu lauter güldnen Kronen werden,
Ach wär ich doch schon hingerückt.
Ich bin betrübet allzusehr,
Ach wenn ich nur im Himmel wär.

6 Ey du mein liebster Jesu, führe,
Ey führe mich doch aus der Welt,
Schließ auf die güldne Himmelsthüre,
Worauf mein Herz am meisten hält.
Ich achte nun die Welt nicht mehr,
Ach wenn ich nur im Himmel wär.

(17)

Wer nur den lieben Gott läßt walten,
Und hoffet auf ihn allezeit,
Den wird er wunderlich erhalten
In allem Kreuz und Traurigkeit;
Wer Gott dem Allerhöchsten traut,
Der hat auf keinen Sand gebaut.

2 Was helfen uns die schweren Sorgen?
Was hilft uns unser Weh und Ach?
Was hilft es, daß wir alle Morgen
Beseufzen unser Ungemach?
Wir machen unser Kreuz und Leid
Nur größer durch die Traurigkeit.

3 Man halte nur ein wenig stille,
Und sei doch in sich selbst vergnügt,
Wie unsers Gottes Gnaden=Wille,
Wie sein Allwissenheit es fügt.
Gott, der uns ihm hat auserwählt,
Der weiß auch gar wohl, was uns fehlt.

4 Er kennt die rechten Freuden=Stunden,
Er weiß wohl, wann es nützlich sey:
Wann er uns nur hat treu erfunden,
Und merket keine Heucheley,
So kommt Gott, eh wir uns versehn,
Und lässet uns viel Guts geschehn.

5 Denk nicht in deiner Drangsals=Hitze,
Daß du von Gott verlassen seyst,
Daß der nur Gott im Schoose sitze,
Der sich mit stetem Glücke speißt;

Die folgend Zeit verändert viel,
Und setzet jeglichem sein Ziel.

6 Es sind ja Gott sehr schlechte Sachen,
Und ist dem Höchsten alles gleich,
Den Reichen klein und arm zu machen,
Den Armen aber groß und reich;
Gott ist der rechte Wundermann,
Der bald erhöhn, bald stürzen kann.

7 Sing, bät, und geh auf Gottes Wegen,
Verricht das deine nur getreu,
Und trau des Himmels reichem Segen,
So wird er bey dir werden neu:
Dann welcher seine Zuversicht
Auf Gott setzt, den verläßt er nicht.

8 Auf dich, mein lieber Gott, ich traue,
Und bitte dich verlaß mich nicht,
In Gnaden all mein Noth anschaue,
Du weißt ja wohl, was mir gebricht.
Schaffs mit mir, wiewohl wunderlich,
Durch Jesum Christ nur seliglich.

———

(17)

Wer weiß, wie nahe mir mein Ende?
Die Zeit geht hin, es kommt der Tod;
Ach wie geschwinde und behende
Kann kommen meine Todesnoth.
Mein Gott! ich bitt durch Christi Blut,
Machs nur mit meinem Ende gut.

2 Es kann vor Nacht leicht anders werden,
  Als es am frühen Morgen war;
  Dann weil ich leb auf dieser Erden,
  Leb ich in steter Tod'sgefahr.
    Mein Gott! ich bitt durch Christi Blut,
    Machs nur mit meinem Ende gut.

3 Herr! lehr mich stets ans Ende denken,
  Und laß mich, wann ich sterben muß,
  Die Seel in Jesu Wunden senken,
  Und ja nicht sparen meine Buß.
    Mein Gott! ich bitt durch Christi Blut,
    Machs nur mit meinem Ende gut.

4 Laß mich beyzeit mein Haus bestellen,
  Daß ich bereit sey für und für,
  Und sage frisch in allen Fällen:
  Herr! wie du willst, so schicks mit mir.
    Mein Gott! ich bitt durch Christi Blut,
    Machs nur mit meinem Ende gut.

5 Mach mir stets zuckersüß den Himmel,
  Und gallenbitter diese Welt:
  Gieb, daß mir in dem Weltgetümmel
  Die Ewigkeit sey vorgestellt.
    Mein Gott! ich bitt durch Christi Blut,
    Machs nur mit meinem Ende gut.

15

(18)

Mein Gott! das Herz ich bringe dir,
    Zur Gabe und Geschenk:
Du forderst dieses ja von mir,
Deß bin ich eingedenk.

2 Gieb mir, mein Kind! dein Herz, sprichst du
Das ist mir lieb und werth,
Du findest anderst doch nicht Ruh
Im Himmel und auf Erd.

3 Nun du, mein Vater! nimm es an,
Mein Herz, veracht es nicht,
Ich gebs so gut ichs geben kann,
Kehr zu mir dein Gesicht.

4 Zwar ist es voller Sündenwust,
Und voller Eitelkeit,
Des Guten aber unbewußt,
Der wahren Frömmigkeit.

5 Doch aber steht es nun in Reu,
Erkennt seinen Uebelstand,
Und träget jetzund vor dem Scheu,
Daran's zuvor Lust fand.

6 Hier fällt und liegt es dir zu Fuß,
Und schreyt: nur schlage zu;
Zerknirsch, o Vater, daß ich Buß
Rechtschaffen vor dir thu.

7 Zermalm mir meine Härtigkeit,
Mach mürbe meinen Sinn,
Daß ich in Seufzen, Reu und Leid,
Und Thränen ganz zerrinn.

8 Sodann nimm mich, mein Jesu Christ!
Tauch mich tief in dein Blut,
Ich glaub, daß du gekreuzigt bist
Der Welt und mir zu gut.

9 Stärk mein sonst schwache Glaubenshand,
Zu fassen auf dein Blut,
Als der Vergebung Unterpfand,
Das alles machet gut.

10 Schenk mir nach deiner Jesushuld,
Gerechtigkeit und Heil,
Und nimm auf dich mein Sündenschuld,
Und meiner Strafe Theil.

11 In dich wollst du mich kleiden ein,
Dein' Unschuld ziehen an,
Daß ich von allen Sünden rein,
Vor Gott bestehen kann.

12 Gott, heil'ger Geist! nimm du auch mich
In die Gemeinschaft ein,
Ergieß um Jesu willen dich
Tief in mein Herz hinein.

13 Dein göttlich Licht schütt in mich aus,
Und Brunst der reinen Lieb:
Lösch Finsterniß, Haß, Falschheit aus,
Schenk mir stets deinen Trieb.

14 Hilf daß ich sey von Herzen treu
   Im Glauben meinem Gott,
   Daß mich im Guten nicht mach scheu
   Der Welt List, Macht und Spott.

15 Hilf, daß ich sey von Herzen fest
   In Hoffen und Geduld,
   Daß wenn du nur mich nicht verläßt,
   Mich tröste deine Huld.

16 Hilf, daß ich sey von Herzen rein
   Im Lieben, und erweis',
   Daß mein Thun nicht sey Augenschein,
   Durchs Werk zu deinem Preis.

17 Hilf, daß ich sey von Herzen schlecht,
   Aufrichtig, ohn' Betrug.
   Daß meine Wort und Werke recht:
   Mach mich in Einfalt klug.

18 Hilf, daß ich sey von Herzen klein,
   Demuth und Sanftmuth üb',
   Daß ich von aller Weltlieb rein,
   Stets wachs' in Jesu Lieb.

19 Hilf, daß ich sey von Herzen fromm,
   Ohn alle Heucheley,
   Damit mein ganzes Christenthum
   Dir wohlgefällig sey.

20 Nimm gar, o Gott! zum Tempel ein
   Mein Herz hier in der Zeit,
   Ja, laß es auch dein Wohnhaus seyn
   In jener Ewigkeit.

21 Dir geb ichs ganz zu eigen hin,
 Brauchs wozu dirs gefällt;
 Ich weiß daß ich der deine bin,
 Der deine, nicht der Welt.

22 Drum soll sie nun und nimmermehr
 Nichts richten aus bey mir,
 Sie lock und droh auch noch so sehr,
 Daß ich soll dienen ihr.

23 In Ewigkeit geschieht das nicht,
 Du falsche Teufelsbraut;
 Gar wenig mich, Gott Lob! anficht
 Dein glänzend Schlangenhaut.

24 Weg Welt, weg Sünd! dir geb ich nicht
 Mein Herz: nur, Jesu, dir
 Ist dies Geschenke zugericht,
 Behalt es für und für.

---

(18)

Nun sich die Nacht geendet hat,
 Die Finsterniß zertheilt,
 Wacht alles, was am Abend spat
 Zu seiner Ruh geeilt.

2 So wachet auch, ihr Sinnen, wacht,
 Legt allen Schlaf beyseit,
 Zum Lobe Gottes seyd bedacht,
 Denn es ist Dankenszeit.

3 Und du, des Leibes edler Gaft,
  Du theure Seele du,
  Die du so sanft geruhet haft,
  Dank Gott für seine Ruh.

4 Wie soll ich dir, du Seelenlicht!
  Zur G'nüge dankbar seyn?
  Mein Leib und Seel ist dir verpflicht,
  Und ich bin ewig dein.

5 In deinen Armen schlief ich ein,
  Drum konnte Satan nicht
  Mit seiner List mir schädlich seyn,
  Die er auf mich gericht't.

6 Hab Dank, o Jesu! habe Dank,
  Für deine Lieb und Treu;
  Hilf, daß ich dir mein Lebenlang
  Von Herzen dankbar sey.

7 Gedenke, Herr, auch heut an mich,
  An diesem ganzen Tag,
  Und wende von mir gnädiglich,
  Was dir mißfallen mag.

8 Erhör, o Jesu, meine Bitt,
  Nimm meine Seufzer an,
  Und laß all meine Tritt und Schritt
  Gehn auf der rechten Bahn.

9 Gieb deinen Segen diesen Tag
  Zu meinem Werk und That,
  Damit ich fröhlich sagen mag:
  Wohl dem, der Jesum hat.

10 Wohl dem, der Jesum bey sich führt,
   Schließt ihn ins Herz hinein,
   So ist sein ganzes Thun geziert,
   Und er kann selig seyn.

11 Nun denn, so fang ich meine Werk
   In Jesu Namen an:
   Er geb mir seines Geistes Stärk,
   Daß ich sie euden kann.

------

(18)

Nun sich der Tag geendet hat,
   Und keine Sonn mehr scheint,
Ruht alles was sich abgematt,
   Und was zuvor geweint.

2 Nur du den Schlaf nicht nöthig hast,
   Mein Gott! du schlummerst nicht,
   Die Finsterniß ist dir verhaßt,
   Weil du bist selbst das Licht.

3 Gedenke, Herr, doch auch an mich,
   In dieser finstern Nacht,
   Und schenke mir genädiglich
   Den Schirm von deiner Macht.

4 Wend ab des Satans Wütherey,
   Durch deiner Engel Schaar,
   So bin ich aller Sorgen frey,
   Und bringt mir nichts Gefahr.

5 Ich fühle zwar der Sünden Schuld,
  So mich bey dir klagt an,
  Doch aber deines Sohnes Huld
  Hat g'nug für mich gethan.

6 Den setz ich dir zum Bürgen ein,
  Wann ich soll vors Gericht,
  Ich kann ja nicht verloren seyn
  In solcher Zuversicht.

7 Drauf thu ich meine Augen zu
  Und schlafe fröhlich ein;
  Mein Gott wacht jetzt in meiner Ruh,
  Wer wollte traurig sein?

8 Weicht, nichtige Gedanken hin,
  Wo ihr habt euren Lauf,
  Bau du, o Gott! in meinem Sinn
  Dir einen Tempel auf.

9 Soll diese Nacht die letzte seyn
  In diesem Jammerthal,
  So führe mich in Himmel ein
  Zur Auserwählten Zahl.

10 Und also leb und sterb ich dir,
   O Herr Gott Zebaoth!
   Im Tod und Leben hilf du mir
   Aus aller Angst und Noth.

(18)

Wie bist du mir so innig gut,
Mein Hoherpriester du!
Wie theu'r und kräftig ist dein Blut!
Es setzt mich stets in Ruh.

2 Wann mein Gewißen zagen will
Für meiner Sünden Schuld,
So macht dein Blut mich wieder still,
Setzt mich bey Gott in Huld.

3 Es giebet dem bedrückten Sinn
Freymüthigkeit zu dir,
Daß ich in dir zufrieden bin,
Wie arm ich bin in mir.

4 Hab ich gestrauchelt hie und da,
Und will verzagen fast,
So spür ich dein Versöhnblut nah,
Das nimmt mir meine Last.

5 Es sänftigt meinen tiefen Schmerz
Durch seine Balsamskraft;
Es stillet mein gestörtes Herz,
Und neuen Glauben schafft.

6 Da kriechet dann mein blöder Sinn
In deine Wunden ein,
Da ich dann ganz vertraulich bin:
Mein Gott! wie kann es seyn?

7 Ich hab vergeſſen meine Sünd,
Als wär es nicht geſchehn;
Du ſprichſt: lieg ſtill in mir, mein Kind,
Du mußt auf dich nicht ſehn.

8 Wie kann es ſeyn? ich ſag es noch:
Herr, iſt es auch Betrug?
Ich großer Sünder hab ja doch
Verdienet deinen Fluch.

9 Nein, Jeſu, du betrügeſt nicht,
Dein Geiſt mir Zeugniß giebt;
Dein Blut mir Gnad und Fried verſpricht;
Ich werd umſonſt geliebt.

10 Umſonſt will ich auch lieben dich,
Mein Gott, mein Troſt, mein Theil!
Ich will nicht denken mehr an mich,
In dir iſt all mein Heil.

11 Weg Sünde! bleib mir unbewußt,
Kommt dieſes Blut ins Herz,
So ſtirbet alle Sündenluſt;
Der Sinn geht himmelwärts.

12 O nein! ich will und kann nicht mehr,
Mein Freund, betrüben dich;
Dein Herz verbindt mich allzuſehr,
Ach bind' es ewiglich.

13 Zeuch mich in dein verſöhnend Herz,
Mein Jeſu tief hinein;
Laß es in aller Noth und Schmerz
Mein Schloß und Zuflucht ſeyn.

14 Kommt groß' und kleine Sünder doch,
Die ihr mühselig seyd!
Diß liebend Herz steht offen noch,
Daß euch von Sünd befreyt.

----

(18)

Was mich auf dieser Welt betrübt,
Das währet kurze Zeit:
Was aber meine Seele liebt,
Das bleibt in Ewigkeit.
Drum fahr, o Welt, mit Ehr und Geld,
Und deiner Wollust hin;
Im Krenz und Spott kann mir mein Gott
Erquicken Muth und Sinn.

2 Die Thorenfreude dieser Welt,
Wie süß sie immer lacht,
Hat schleunig ihr Gesicht verstellt,
Und den in Leid gebracht,
Der auf sie baut: wer aber traut
Allein auf Gottes Treu,
Der siehet schon die Himmelskron,
Und freut sich ohne Ren.

3 Mein Jesus bleibet meine Freud,
Was frag ich nach der Welt?
Welt ist nur Furcht und Traurigkeit,
Die selbst gar bald zerfällt;

Ich bin ja schon mit Gottes Sohn
Im Glauben hier vertrant,
Der droben sitzt und hier beschützt,
Wählt mich zu seiner Braut.

4 Ach, Jesu! tödt' in mir die Welt,
Und meinen alten Sinn,
Der sich so gerne zu ihr hält;
Herr, nimm mich selbst nur hin.
Und binde mich ganz festiglich
An dich, o Herr, mein Hort!
So irr' ich nicht in deinem Licht,
Bis in die Lebenspfort.

---

(19)

Das Wort der Wahrheit Jesus Christ,
Als selbst der Erstgeboren,
Der neuen Menschen Vater ist,
Das alt Fleisch ist verloren;
Machts neu durchs himmlisch Wasserbad,
Daß ihn'n die Sünde gar nicht schad;
Thut die von neuem gebären,
Im himmltschen Jerusalem,
Er zeugt Gott's Kinder angenehm,
Thut sie durch sein Geist lehren.

2 Der Schöpfer auch hie Vater heißt,
Durch Christum seinen Sohne.
Da wirket mit der heilig Geist,
Einiger Gott drei Namen,

Von welchem kommt ein Gottes Kind,
Gewaschen ganz rein von der Sünd,
Wird geistlich g'speißt und tränket
Mit Christi Blut, sein Willen thut,
Irdisch verschmäht aus ganzem Muth,
Der Vater sich ihm schenket.

3 Wann nun das Kind geheiligt ist,
Thut uns Sanct Paulus lehren,
Im Namen und im Wesen Christ,
Und im Geist unsers Herren ;
Sein Fleisch er danu auch zeigt und lehrt,
Und alle Ding nach Christo kehrt,
Mit Bäten und mit Wachen,
Sein Sünd beweint, und wird ihr Feind,
Mit Gott er sich herzlich vereint,
Das macht all Engel lachen.

4 Gehorsamlich der Mensch danu lebt,
In Gottes Furcht und Willen,
Sein Herz stets nach dem Himmel strebt,
Das G'setz thut er erfüllen.
Er glaubt und liebt, Niemand betrübt,
In Gottes Wort sich herzlich übt,
Das ist sein Speis' und Leben,
Die christlich Zucht und Glaubensfrucht,
Die Christus bey den Seinen sucht,
Thut reichlich von sich geben.

5 Also wächst auf täglich das Kind,
Vor Gott und vor den Lenten,
Es siegt über die Welt und Sünd,

Durch Chriſtum kann es ſtreiten;
Und ſtellt ab, was ihm Schaden thut,
Erſchreckt ſich nicht vor Fleiſch und Blut,
Doch im himmliſchen Weſen,
Dann bricht er's Brod, und danket Gott,
Sein'n Nächſten liebt er mit der That,
Hilf daß er auch mög g'neſen.

6 Man ſpürt die Speiſ' beym Menſchen bald,
Wann er in Chriſto lebet,
Und Chriſtus in ihm; ſolcherg'ſtalt
Sein Geiſt den Menſchen treibet
Zur engen Pfort ins Himmelreich,
Durch Schmach und Krenz wird Chriſto
      gleich,
Als ſeinem Gott und Herren;
Demuth er lehrt, Niemand beſchwert,
Wie das der heil'ge Geiſt erklärt,
Sein Glauben thut bewähren.

7 Ein ſolcher mag recht werden g'tauft,
Wenn er iſt neu geboren,
Durch Chriſti Blut erlößt und kauft,
Sonſt wär es all's verloren.
Beym Brodbrechen wäſcht man die Füß,
Wie Chriſtus ſeine Jünger hieß
Die Lieb einander reichen.
Man wird dabey erkennen frey,
Welches das Häuflein Chriſti ſey,
Lieb iſt das einig Zeichen.

8 Friedsam ist dieser Mensch fürwahr,
  Thut sich mit Niemand spalten,
  Ihm ist der Handel offenbar,
  Wie sichs vor Gott thut halten
  Mit der Ordnung der Sacrament.
  Das Hintre er nicht vorne weud,
  Das Reich Gott's nicht anbindet,
  Hie oder da, noch anderswo,
  In Christo sucht Amen und Ja,
  Sein Geist auch Ruh da findet.

---

(19)

Einsmals spaziert ich hin und her,
  In meinen alten Tagen,
  Trachtet wie nah der Tod mir wär,
  Da fing ich an zu zagen.
  Ich dacht in meines Herzens Grund,
  Nun hab ich weder Tag noch Stund,
  Und hab viel Sünd begangen,
  All meine Tag nie Guts gethan,
  Gottes Gebot all unterlahn,
  Der Tod hat mich umfangen.

2 O grimmer Tod, wie bist so stark,
  Daß dich Niemand mag zwingen,
  Du schwächst die Bein, zerstößst das Mark,
  Das thu ich wohl empfinden.
  Mein Angesicht machst ungestalt,
  Mein Rücken beugst mit ganzem G'walt,

Mein'n Ohren nimmst das Hören,
Die Augen einem werden roth,
Händ und Füß bringest mir in Noth,
Das kann ich nicht erwehren.

3 Da ich erkannt die größe Noth,
Mit Angst war ich umgeben,
Als mich umfangen hat der Tod,
Stellt mir auf Leib und Leben,
Und ich auch nicht entrinnen konnt;
Rief ich zu Gott mit Herz und Mund:
Gieb Besserung mein's Lebens,
Ja daß ich mög von Sünd abstahn,
Reu und auch Leid darüber han,
Eh ich muß Rechnung geben.

4 Ich danke Gott, dem Schöpfer mein,
Daß er mir Gnad hat geben,
In Lieb mein Herz gemachet rein,
Verneuert all mein Leben,
In wahrem Glaub'n durch Jesum Christ,
Der unser Mittler worden ist,
Hat mein Schuld auf sich g'laden.
Itz mag uns nichts mehr schädlich seyn,
Wir geben dann den Willen drein,
Vom Tod gehn wir ins Leben.

5 Ich nahm mein Stäblein in die Hand,
Zur G'meine thät ich schleichen,
Da ich Gottes Wort reden faud,
Den Armen als den Reichen.

Sie lehrten aus der heil'gen Schrift:
Hüt euch vor Menschentand und Gift;
Mensch, willt du nicht verderben,
So glaub dem wahren Gottes Sohn,
Der g'ung am Kreuz für uns hat thon,
Daß wir nicht ewig sterben.

6 Trotz sey dir Teufel, Tod und Höll,
Dann du bist überwunden,
Obwohl noch Fleisch und Blut mein G'sell.
Jetzt hat dich Christus bunden,
Und dir genommen allen G'walt,
All unser Sünd dem Vater zahlt,
Erworben ewigs Leben.
Noch thut die Welt uns fechten an,
Ein stark'n Glauben müss'n wir han,
In Lieb und Hoffnung schweben.

7 Das geb uns Gott durch seinen Sohn
Und durch den heil'gen Geiste,
Daß wir ihm herzlich danken thun,
Geduld woll er uns leisten.
Hinfort zu bleiben auf dem Pfad,
Den Christus vorgebahnet hat,
Die Sünd und Laster meiden,
Und all's was zuwider ist.
Das helf uns Gott durch Jesum Christ
Mit ihm in ew'gen Freuden, Amen.

Mel. Heiligster Jesu, Heiligungsquelle (38)

Wachet auf! ruft uns die Stimme
Der Wächter, sehr hoch auf der Zinne,
Wach auf, du Stadt Jerusalem!
Mitternacht heißt diese Stunde!
Sie rufen uns mit hellem Munde:
Wo seyd ihr klugen Jungfrauen?
Wohlauf! der Bräut'gam kömmt;
Steht auf! die Lampen nehmt, Hallelujah!
Macht euch bereit
Zu der Hochzeit,
Ihr müffet ihm entgegen gehn.

2 Zion hört die Wächter singen,
Das Herz thut ihr für Freuden springen,
Sie wachet und steht eilend auf;
Ihr Freund kommt vom Himmel prächtig,
Von Gnaden stark, von Wahrheit mächtig,
Ihr Licht wird hell, ihr Stern geht auf.
Nun komm, du werthe Kron!
Herr Jesu, Gottes Sohn! Hosianna!
Wir folgen all,
Zum Freuden=Saal,
Und halten mit das Abendmahl.

3 Gloria sey dir gesungen,
Mit Menschen= und mit Engel=Zungen,
Mit Harfen und mit Cymbeln schon:
Von zwölf Perlen sind die Pforten
An deiner Stadt, wir sind Consorten
Der Engel hoch um deinen Thron:

Kein Aug hat je gespürt,
Kein Ohr hat je gehört,
Solche Freude:
Deß sind wir froh,
Jo! jo! jo! jo!
Ewig in dulci jubilo.

———

Mel. Nun ruhen alle Wälder. (21)

Gottlob, die Stund ist kommen,
Da ich werd aufgenommen
Ins schöne Paradeis.
Ihr Eltern, dürft nicht klagen;
Mit Freuden sollt ihr sagen:
Dem Höchsten sey Lob, Ehr und Preis.

2 Wie kanns Gott besser machen?
Er reißt mich aus dem Rachen
Des Teufels und der Welt,
Die jetzt wie Löwen brüllen,
Ihr Grimm ist nicht zu stillen,
Bis alles übern Haufen fällt.

3 Dies sind die letzten Tage,
Da nichts als Angst und Plage
Mit Haufen bricht herein,
Mich nimmt nun Gott von hinnen,
Und lässet mich entrinnen
Der uberhäuften Noth und Pein.

16*

4 Kurz ist mein irdisch Leben;
　Ein besseres wird mir geben
　Gott in der Ewigkeit.
　Da werd ich nicht mehr sterben,
　In keiner Noth verderben:
　Mein Leben wird seyn lauter Freud.

5 Gott eilet mit den Seinen,
　Läßt sie nicht lange weinen
　In diesem Thränenthal;
　Ein schnell und selig Sterben
　Ist schnell und glücklich erben
　Des schönen Himmels Ehrensaal.

6 Wie öfters wird verführet
　Manch Kind, an dem man spühret
　Rechtschaffne Frömmigkeit.
　Die Welt, voll List und Tücke,
　Legt heimlich ihre Stricke,
　Bey Tag und Nacht zu jeder Zeit.

7 Die Netze mag sie stellen,
　Mich wird sie nun nicht fällen,
　Sie wird mir thun kein Leid.
　Denn wer kann den verletzen,
　Den Christus itzt wird setzen
　Ins Schloß vollkommner Sicherheit?

8 Zuvor bracht ich euch Freude;
　Itzt nun ich von euch scheide,
　Betrübt sich euer Herz.

Doch, wenn ihrs recht betrachtet,
Und was Gott thut, hoch achtet,
Wird sich bald lindern aller Schmerz.

9 Gott zählet alle Stunden,
Er schlägt und heilet Wunden,
Er kennet Jedermann.
Nichts ist ja je geschehen,
Das er nicht vor gesehen,
Und was er thut, ist wohlgethan.

10 Wann ihr mich werdet finden
Vor Gott, frey aller Sünden,
In weißer Seide stehn,
Und tragen Siegespalmen
In Händen, und mit Psalmen,
Des Herren Ruhm und Lob erhöhn.

11 Da werdet ihr euch freuen,
Es wird euch herzlich reuen,
Daß ihr euch so betrübt.
Wohl dem der Gottes Willen
Gedenket zu erfüllen,
Und ihm sich in Geduld ergiebt.

12 Lebt wohl und seyd gesegnet;
Was euch jetzund begegnet,
Ist andern auch geschehn;
Viel müssens noch erfahren:
Nun Gott woll euch bewahren;
Dort wollen wir uns wieder sehn.

Der 1. Psalm.

(13)

Wohl dem Menschen, der nicht wandelt
    In gottloser Leute Rath,
Welcher niemals unrecht handelt,
Noch tritt auf der Sünder Pfad;
Der, der Spötter Freundschaft flieht,
Sich von ihren G'sellen zieht,
Der hingegen herzlich ehret
Was uns Gott der Höchste lehret.

2 Wohl dem, der mit Lust und Freude,
Das Gesetz des Höchsten liebt,
Und sich als auf süßer Weide,
Tag und Nacht darinnen übt,
Dessen Segen wächst und blüht
Wie ein Palmbaum, den man sieht
Bey den Flüssen an den Seiten,
Seine frische Zweig ausbreiten!

3 Also wird auch immer grünen,
Der in Gottes Wort sich übt,
Luft und Sonne wird ihm dienen,
Bis er reiche Früchte giebt;
Seine Blätter werden alt,
Und doch niemals ungestalt.
Gott giebt Glück zu seinen Thaten,
Was er macht muß wohl gerathen.

4 Aber wen die Sünd erfreuet,
Der erlanget nicht das Heil;

Er wird wie die Spreu zerstreuet
Von dem Wind in schneller Eil.
Wo der Herr sein Häuflein richt,
Da bleibt ein Gottloser nicht,
Denn der Frommen Weg bestehet,
Und der Bösen Weg vergehet.

Mel.: Straf mich nicht in deinem Zorn. (37)

Mache dich, mein Geist, bereit;
Wache, fleh und bäte,
Daß dich nicht die böse Zeit
Unverhofft betrete;
Denn es ist Satans List
Ueber viele Frommen
Zur Versuchung kommen.

2 Aber wache erst recht auf
Von dem Sünden-Schlafe,
Denn es folget sonst darauf
Eine lange Strafe,
Und die Noth,
Sammt-dem Tod,
Möchte dich in Sünden
Unvermuthet finden.

3 Wache auf! sonst kann dich nicht
Unser Herr erleuchten.
Wache! sonsten wird dein Licht
Dich noch ferne deuchten;

Denn Gott will
Für die Füll
Seiner Gnadengaben
Offne Augen haben.

4 Wache! daß dich Satans List
Nicht im Schlaf antreffe,
Weil er sonst behende ist,
Daß er dich beäffe;
Und Gott giebt,
Die er liebt,
Oft in seine Strafen,
Wenn sie sicher schlafen.

5 Wache, daß dich nicht die Welt
Durch Gewalt bezwinge,
Oder, wenn sie sich verstellt,
Wieder an sich bringe;
Wach und sieh!
Damit nie
Viel von falschen Brüdern
Unter deinen Gliedern.

6 Wache darzu auch für dich,
Für dein Fleisch und Herze!
Damit es nicht liederlich
Gottes Gnad verscherze.
Denn es ist
Voller List,
Und kann sich bald heucheln,
Und in Hoffart schmeicheln.

7 Bäte aber auch dabey
Mitten in dem Wachen!
Denn der Herre muß dich frey
Von dem allen machen,
Was dich drückt
Und bestrickt,
Daß du schläfrig bleibest,
Und sein Werk nicht treibest.

8 Ja, er will gebäten seyn,
Wenn er was soll geben,
Er verlanget unser Schreyn,
Wenn wir wollen leben,
Und durch ihn
Unsern Sinn,
Feind, Welt, Fleisch und Sünden,
Kräftig überwinden.

9 Doch wohl gut, es muß uns schon
Alles glücklich gehen,
Wenn wir ihn, durch seinen Sohn,
Im Gebät anflehen
Denn er will
Uns mit Füll
Seiner Gunst beschütten,
Wenn wir glaubend bitten.

10 Drum so laßt uns immerdar
Wachen, flehen, bäten!
Weil die Angst, Noth und Gefahr
Immer näher treten;

Denn die Zeit
Ist nicht weit,
Da uns Gott wird richten,
Und die Welt vernichten.

———

Mel.: Nun heben wir an in Nöthen. (24)

Wacht auf, ihr Brüder werthe,
Und habt ein guten Muth,
Wann wir gezüchtigt werden,
Wird unſer Sach erſt gut.
Mit G'duld woll'n wirs annehmen,
Und unſern Gott bekennen,
In dieſer Noth, bis in den Tod.

2 Chriſtus hat uns berufen
Zu ſeinem Abendmahl.
Darzu ſeynd wir geloffen,
Wir Chriſten überall.
Sein Wort hand wir ang'nommen,
Und thaten uns nicht ſäumen,
Wir nahmens an mit Freud und Wonn.

3 Darum ſo laßt uns wachen,
Bäten zu aller Friſt,
Er thut ſich herzu machen,
Der unſer Verſucher iſt.
Er thut gräulich umlaufen,
Ob er ein'n aus möcht raufen
Aus der heiligen Schaar, mit Worten klar.

4 So laßt uns nun Oel kaufen
  In unser Ampel schon,
Wann der Bräutigam bricht anse,
  Daß wir ihm entgegen gohn,
Und unser Lichter brennen,
So wird er uns wohl kennen,
  Und führen ein, zur Hochzeit fein.

5 Die Thörichten verschliefen,
  Und hörten das Getön,
Zu'n Weisen sie hinliefen,
  Begehrten Oel von ihn'n.
Die Weisen thäten sagen,
Wir möchten auch Mangel haben,
  Geht hin geleich, und kauft für euch.

6 Da sie das Oel eingossen
  In ihre Ampel fein,
Da ward die Thür verschlossen,
  Ihr keine mocht hinein.
Da standen sie mit Zagen,
Thäten an die Thür schlagen,
  Mit großem Ton klopften sie an.

7 Der Bräutgam kam gegangen,
  Und forschet sie der Mähr,
Da haben sie ang'fangen,
  Und sprachen: Herr, Herr, Herr!
Thut uns die Thür aufmachen.
Der Herr hat zu ihn'n g'sprochen:
  Weicht all von mir, ihr schläfrig Thier.

8 Also wird es ergohne,
   Die Gottes Wort hörend seyn,
Und gar nichts darnach thone,
   Werden gleichförmig seyn
Den thörichten Jungfrauen,
Die Gott nicht thäten trauen,
Mußt Mangel hon, der Hochzeit schon.

9 Also werden geführet
   Wohl zu der linken Hand,
Zu'n Böcken und wilden Thieren,
   Die Gott nicht hond erkannt.
Zu denen wird er sagen,
Wohl an demselben Tage:
Geht hin geleich, in feurigen Teich.

10 Die Gottes Wort hie thone,
   Seynd Zeugen auf Erd g'west,
Die wird er empfahn schone,
   Vom Tod sind sie erlößt.
Zu'n selben wird er sprechen:
Euer Blut will ich rächen,
Geht hin zugleich in's Himmelreich.

11 Kommt her ihr Christen alle,
   Die Gott ergeben seyn,
Laßt uns mit reichem Schalle
   Des Herren Zengen seyn,
Seins Worts mit unserm Blute,
Das wird uns komm'n zu Gute,
Daß wir die Kron erlangen thuu.

Mel. Die Zeit ist nun gekommen. (25)

Kommt Kinder, laßt uns gehen,
Der Abend kommt herbey;
Es ist gefährlich stehen
In dieser Wüsteney:
Kommt, stärket euren Muth,
Zur Ewigkeit zu wandern,
Von einer Kraft zur andern,
Es ist das Ende gut.

2 Es soll uns nicht gereuen
Der schmale Pilgerpfad,
Wir kennen ja den Treuen,
Der uns gerufen hat:
Kommt, folgt und trauet Dem,
Ein jeder sein Gesichte
Mit ganzer Wendung richte
Steif nach Jerusalem.

3 Der Ausgang, der geschehen,
Ist uns fürwahr nicht leid;
Es soll noch besser gehen
Zur Abgeschiedenheit:
Nein, Kinder, seyd nicht bang,
Verachtet tausend Welten,
Ihr Locken und ihr Schelten,
Und geht nur euren Gang.

4 Geht der Natur entgegen,
So gehts gerad und fein;
Die Fleisch und Sinnen pflegen,
Noch schlechte Pilger seyn:

Verlaßt die Creatur,
Und was euch sonst will binden,
Laßt gar euch selbst dahinten,
Es geht durchs Sterben nur.

5 Man muß wie Pilger wandeln,
Frey, bloß, und wahrlich leer;
Viel sammeln, halten, handeln,
Macht unsern Gang nur schwer;
Wer will, der trag sich todt,
Wir reisen abgeschieden,
Mit wenigem zufrieden,
Wir brauchen's nur zur Noth.

6 Schmückt euer Herz aufs beste,
Sonst weder Leib noch Haus;
Wir sind hier fremde Gäste,
Und ziehen bald hinaus:
Gemach bringt Ungemach,
Ein Pilger muß sich schicken,
Sich dulden und sich bücken,
Den kurzen Pilgertag.

7 Laßt uns nicht viel besehen
Das Kinderspiel am Weg,
Durch Säumen und durch Stehen
Wird man verstrickt und träg.
Es geht uns all nicht an,
Nur fort durch dick und dünne,
Kehrt ein die leichten Sinne,
Es ist so bald gethan.

8 Ist gleich der Weg was enge,
So einsam, krumm und schlecht,
Der Dornen in der Menge
Und manches Kreuzchen trägt:
Es ist doch nur ein Weg;
Laß seyn! wir gehen weiter,
Wir folgen unserm Leiter,
Und brechen durchs Gehäg.

9 Was wir hier hör'n und sehen,
Das hör'n und seh'n wir kaum;
Wir lassen dar, und gehen,
Es irret uns kein Traum:
Wir gehen ins Ew'ge ein.
Mit Gott muß unser Handel,
Im Himmel unser Wandel,
Und Herz und alles seyn.

10 Wir wandeln eingekehret,
Veracht und unbekannt;
Man siehet, kennt und höret
Uns kaum im fremden Land:
Und höret man uns ja,
So höret man uns singen
Von unsern großen Dingen,
Die auf uns warten da.

11 Kommt, Kinder, laßt uns gehen,
Der Vater gehet mit;
Er selbst will bei uns stehen,
In jenem sauern Tritt:

Er will uns machen Muth,
Mit süßen Sonnenblicken
Uns locken und erquicken;
Ach ja, wir habens gut.

12 Ein jeder munter eile,
Wir sind vom Ziel noch fern;
Schaut auf die Feuersäule,
Die Gegenwart des Herrn;
Das Aug nur eingekehrt,
Da uns die Liebe winket,
Und dem, der folgt und sinket,
Den wahren Ausgang lehrt.

13 Des süßen Lammes Wesen
Wird uns da eingedrückt;
Man kann's am Wandel lesen,
Wie kindlich, wie gebückt,
Wie sanft, gerad und still,
Die Lämmer vor sich setzen,
Und ohne Forschen gehen,
So wie ihr Führer will.

14 Kommt Kinder, laßt uns wandern,
Wir gehen Hand an Hand;
Eins freue sich am andern,
In diesem wilden Land:
Kommt, laßt uns kindlich seyn,
Uns auf dem Weg nicht streiten,
Die Engel uns begleiten,
Als unsre Brüderlein.

Sollt wohl ein Schwacher fallen,
So greif der Stärk're zu;
Man trag, man helfe allen,
Man pflanze Lieb und Ruh:
Kommt, bindet fester an;
Ein jeder sey der Kleinste,
Doch auch wohl gern der Reinste,
Auf unsrer Liebesbahn.

Kommt, laßt uns munter wandern,
Der Weg kürzt immer ab;
Ein Tag der folgt dem andern,
Bald fällt das Fleisch ins Grab:
Nur noch ein wenig Muth,
Nur noch ein wenig treuer,
Von allen Dingen freyer,
Gewandt zum ew'gen Gut.

Es wird nicht lang mehr währen,
Halt noch ein wenig aus;
Es wird nicht lang mehr währen,
So kommen wir zu Haus;
Da wird man ewig ruhn,
Wann mir mit allen Frommen
Daheim bey'm Vater kommen:
Wie wohl, wie wohl wirds thun!

Drauf wollen wirs dann wagen,
(Es ist wohl wagens werth)

Was aufhält und beschwert:

Welt, du bist uns zu klein;
Wir geh'n durch Jesu Leiten,
Hin in die Ewigkeiten,
Es soll nur Jesus seyn.

19 O Freund, den wir erlesen!
O allvergnügend Gut!
O ewigbleibend Wesen!
Wie reizest du den Muth!
Wir freuen uns in dir,
Du uns're Wonn und Leben,
Worin wir ewig schweben!
Du uns're ganze Zier!

———

Mel. Ungnad begehr ich nicht von dir. (26)

Wohlauf, wohlauf, du Gottes G'mein!
Heilig und rein,
In diesen letzten Zeiten,
Die du ein'm Mann erwählet bist,
Heißt Jesu Christ,
Thu dich ihm zubereiten.
Leg an dein Zier, dann er kommt schier,
Darum bereit das Hochzeitskleid,
Dann er wird schon die Hochzeit hon,
Dich ewig nicht mehr von ihm lohn.

2 Das Kleid, davon gemeldet ist
In dieser Frist,
Soll heilig seyn und reine,

Soll weder Fleck noch Runzel hon,
Sollt du verstohn.
So will Gott hon ein G'meine.
Darum er hat geben in den Tod
Sein liebes Kind, vor deine Sünd.
Aus lauter Gnad, dein Missethat
Dir Gott dein Herr vergeben hat.

3 So nun dein Sünd vergeben ist
Durch Jesum Christ,
Hat dich Gott neu geboren
Im Tauf durch den heiligen Geist,
Daß du nun heißt
Ein' Braut Christi erkohren.
Halt dich allein des G'mahles dein,
Bis ihm bereit zu aller Zeit,
Kein andern Mann sollt nehmen an,
Dich sein alleinig halten thuu.

4 Der Widerchrist zu dieser Frist
Ein Buhler ist,
Wollt dich ihm gern absetzen,
So halt nun stets von Herzensgrund
Steif seinen Bund,
Mag er dich nicht verletzen,
Wiewohl er dich gar hart ansicht,
Kehr dich nicht dran, du hast ein Mann,
Der wird dich bald mit seiner G'walt
Führen zu Freuden mannigfalt.

5 Du mußt aber vor haben Leid
Eine kleine Zeit,

Damit will dich probiren
Der G'mahel dein, ob dich allein
Wollst halten sein,
Und ihn wahrhaftig ehren,
Darum so hör kein fremde Lehr,
Weich nicht von Gott, in aller Noth
Wird er sich dein erbarmen sein,
Dich erretten aus aller Pein.

Mel. Ich will dich, Herr, von Herzensgrund. (27)

Mit einem zugeneigten G'müth,
Wünsch ich euch Gottes Gnad und Güt,
Mein Allerliebste in dem Herren,
Daß er euch woll den Glauben mehren.

2 Weil ihr Christo seyd einverleibt,
Doch frömmlich allzeit bey ihm bleibt,
Eu'r Fleisch und Blut wollt doch bezwingen,
Liebet nicht mehr die irdisch Dingen.

3 Recht müßt ihr seyn himmlisch gesinnt,
Ihr seyd berufen zu Gottes Kind,
Väterlich hat er euch ang'nommen,
Durch Christum seyd von Sünden kommen.

4 Seyd fröhlich in Gott nun allzeit,
Sein' große Wohlthat sehr ausbreit,
Die euch durch Christum sind bewiesen,
Der euch von Sünden hat genesen.

5 Sehr holdselig er euch empfieng,
  Und gab euch einen Fingerring,
  An euer Hand, und wollt euch freuen,
  Halt bey ihm fest, euch solls nicht reuen.

6 Er sorgt für euch nun allezeit,
  Nun ihr in Gott's Gemeine seyd,
  Und habet euch darzu begeben,
  In Heiligkeit fortan zu leben.

7 Rüst euch, die Lampen macht bereit,
  Und ziert euch mit dem Hochzeitskleid,
  Auf daß ihr nicht kommet zu Schanden,
  Wie ihr von jenem habt verstanden.

8 Ins Ort der Hochzeit als er gieng,
  Der König ihn übel empfieng,
  Sprach: Freund, wie bist du herein kommen
  Hast dich nicht besser in Acht g'nommen.

9 So nackt und blos, ganz ungeziert,
  Und hast kein Kleid, womit man feyert
  An so großem Sabbath des Herru?
  Mit Schanden dich heraus mußt kehren.

10 Er sagen wird im Zorn geschwind
  Zu seinen Knechten: nehmt und bind't
  Ihm seine Füß und seine Händen,
  Ihn in die Höll werft um zu brennen.

11 O mein Geliebten, hierauf paßt,
  Wohl dem, der da nicht kommt zu Gast;
  Denn da ist nur Heulen und Klagen,
  Und soll seyn zu ewigen Tagen.

12 Kommt nun, den Unterſcheid beſeht,
　Davon beym Malachai ſteht,
　Wie Gott die Frommen will belohnen
　Und mit dem Kranz der Ehren krönen.

13 Halt was ihr habt, erwart den Lohn,
　Daß euch Niemand beraubt der Kron ;
　Chriſtus wird denen ſie aufſetzen,
　Die ſich mit Bosheit nicht beſchmützen.

14 Euch Gott, dem Herren, ganz ergebt,
　In eur'm Gebät, ſo lang ihr lebt.
　Was euch Noth iſt, ſollt ihr empfangen,
　Wofern ihr anhalt mit Verlangen.

15 Und werdet Gottes Gaben nicht
　Verſäumen, was euch hie geſchicht.
　Seyd allzeit fromm nach Chriſti Sitten,
　Sein'n Fußſtapfen folgt ſtets mit Bitten.

16 Aus brüderlicher Lieb und Macht
　Iſt dies Gedicht zuſamm'n g'bracht,
　Daß mans allein nicht ſollte ſingen,
　Ja fleißig ſeyn auch im Vollbringen.

Mel. In allen meinen Nöthen. (28)

Muß es nun seyn gescheiden,
So woll uns Gott begleiten,
Ein jedes an sein Ort;
Da wollend Fleiß ankehren,
Uns'r Leben zu bewehren,
Nach Inhalt Gottes Wort.

2 Das sollten wir begehren,
Und nicht hinläßig werden,
Das End kommt schnell herbey:
Wir wissen keinen Morgen,
Drum lebet doch in Sorgen,
Der G'fahr ist mancherley.

3 Betrachtet wohl die Sachen,
Daß uns der Herr heißt wachen,
Zu seyn allzeit bereit.
Dann so wir würd'n erfunden
Liegen und schlafen in Sünden,
Es würd uns werden Leid.

4 Drum rüstet euch bey Zeiten,
Und alle Sünd vermeiden,
Lebend in G'rechtigkeit:
Das ist das rechte Wachen,
Dardurch man mag gerathen
Zur ew'gen Seligkeit.

5 Hiemit seyd Gott befohlen,
Der woll uns allzumalen,
Durch seine Gnad allein,

Zur ew'gen Freud erheben,
Daß wir nach diesem Leben
Nicht komm'n ins ewigs Leid.

6 Zum End ist mein Begehren,
Denkt meiner in dem Herren,
Wie ich auch g'sinnet bin:
Nun wachet allesammen,
Durch Jesum Christum, Amen,
Es muß geschieden seyn.

———

Mel. Ach treib aus meiner Seele. (29)

Wann ich es recht betracht
Und sehe Tag und Nacht
Ja Stund und Zeite,
Hingehen so geschwind,
Geschwinder als der Wind,
Zur Ewigkeite.

2 So wird mir oftmals bang,
Weil ich noch allzulang
Mich oft verweile,
Und nicht so wie ich sollt,
Und auch wohl gerne wollt,
Beständig eile.

3 O daß ich allezeit
In rechter Munterkeit
Mich möchte üben,
Und in der Niedrigkeit
Mein'n Jesum allezeit
Könnt herzlich lieben.

4 Weil meine Zeit vergeht,
  Und gar kein Ding besteht,
    Was wir hie sehen,
  So sollt ich billig das
  Suchen ohn Unterlaß,
    Was kann bestehen.

5 Jetzt ist die schöne Zeit,
  Das angenehme Heut,
    Der Tag des Heilens,
  Drum eil' o Seele! doch
  Und trag gern Christi Joch,
    Ohne Verweilens.

6 Die Zeit, die Zeit ist da,
  Der Richter ist sehr nah,
    Er wird bald kommen;
  Wer sich hat wohl bereit,
  In dieser Gnadenzeit,
    Wird angenommen.

7 O selig wird der seyn,
  Der mit kann gehen ein
    Ins Reich der Freuden,
  Billig sollt man allhier
  Sich schicken für und für,
    Und wohl bereiten.

8 Was ist doch diese Zeit,
  Und ihre Eitelkeit,

Sammt allem Wesen,
Das sich die blinde Welt
Für ihren Theil erwählt,
Und auserlesen.

9 Darauf ihr Lohn wird seyn
Die ew'ge Straf und Pein
Und Qual der Höllen,
Wann sie allhier sich nicht,
Weil scheint das Gnadenlicht,
Bekehren wollen.

10 Hingegen werden die,
So auf der Erden hie
Ihr ganzes Leben
In rechter Niedrigkeit
Nur Jesu allezeit
Gänzlich ergeben;

11 Die aller Lust der Welt,
Und was dem Fleisch gefällt,
Willig absagen,
Und nach des Heilands Rath,
Wie er befohlen hat,
Sein Krenz gern tragen.

12 Die werden allzugleich,
Das schöne Himmelreich
Mit Freuden schauen,
Es wird die schöne Schaar
Dann gehen Paar bey Paar
Auf Zions Auen.

13 In angenehmer Freud,
In schönem weißen Kleid,
In güldner Krone,
In Licht gar hell und klar,
Wird stehn die schöne Schaar,
Vor Gottes Throne.

14 Mit süßem Harfenklang
Und schönem Lobgesang
Werden sie gehen,
Sie werden allezeit
In angenehmer Freud
Den Heiland sehen.

———

Mel. Ach was soll ich Sünder machen. (30)

Eins betrübt mich sehr auf Erden,
Daß so wenig selig werden;
Ach was soll ich fangen an,
Weil so viele Menschen sterben,
Und so jämmerlich verderben,
Wer sollt's nicht bedenken dann.

2 Ach! wie mag es doch geschehen,
Daß so viel zu Grunde gehen
Von all'n Ständen insgemein;
Wenig gehen ein zum Leben,
Aber ohne Zahl darneben:
Was mag doch die Ursach seyn?

3 Gar leicht kann mich dies bescheiden,
Weil die Menschen voller Neiden,
Leben nicht wie's Gott gefallt,
Brauchen nur ihr eigen Lüsten,
Als wann sie's nicht besser wüßten,
Daß der Weg zum Himmel schmal.

4 O was Hoffart ist zu sehen,
Sieh wie prächtig thut man gehen,
Jeder will der Größte seyn;
Täglich thut die Pracht sich mehren,
Man nur tracht't nach großen Ehren:
Geht man so zum Himmel ein?

5 Fressen, sanfen, banketiren,
Tanzen, spielen, dominiren,
Nach dem Fleisch stets leben wohl;
Kann man so zum Himmel kommen,
Dann gescheh zu weh den Frommen,
Schwerlich dieses glücken soll.

6 Wenig acht't man jetzt das Lügen,
Was gemeiner als Betrügen,
Gleich als wärs ein freye Kunst;
Wer schon recht hat, thut verlieren,
Falsche Sachen thut man zieren,
Jetzund gilt nur Geld und Gunst.

7 Wie gemein ist Fluchen, Schwören,
Lästern greulich Gott den Herrn,
Können's nicht die Kinder klein?

Drum kein Wunder, daß verderben
Jung und Alt, in Sünden sterben,
Fahren so zur Höll hinein.

8 Seines Nächsten Ehr abschneiden,
Ihn verfolgen und beneiden,
Ist das nicht gemeiner Lauf?
Eins das ander nur verklaget,
Was man denket, von ihm saget,
Thut das nicht der größte Hauf?

9 Sagt, was thut man höher achten,
Als mit allen Kräften trachten
Nach dem eiteln Gut und Geld;
Gold und Silber, große Schätzen,
Die der Menschen Seel verletzen,
Sucht und liebt die ganze Welt.

10 Welche fremdes Gut besitzen,
Werden schmerzlich dafür schwitzen,
Ewig in der Höllengluth;
Ob schon Viele dieses wissen,
Auch verklagt ihr bös Gewissen,
Lassen sie doch nicht davon.

11 Wer tracht't jetzt nach rechter Tugend,
Wie verkehrt ist nicht die Jugend,
Wo bleibt Einfalt und die Treu?
Der Gott suchet zu gefallen,
Wird verspott, veracht von allen,
Sieht man täglich ohne Scheu.

12 O du Menschenkind! dich lehre,
Merk wie Christus selbst dich lehre,
Schau sein Thun und Wege an.
Er die Wahrheit, Weg und Leben,
Nur auf ihn recht Acht wollst geben,
Besser dir nicht rathen kanu.

13 Willst du in den Himmel bauen,
Und erwarten mit Vertrauen
Ein' erwünschte Seligkeit:
Merk wohl, welche Gott gefallen,
Sich erniedrigen vor allen,
Demuth ist ihr Fundament.

14 Ohn die wahre Lieb auf Erden
Auch kein Mensch wird selig werden,
Lieb recht Gott, den Nächsten mit;
Wer die Liebe recht will üben,
Fürcht sich jemand zu betrüben,
Wird auch Gott erzürnen nicht.

15 Keiner muß sein' Lust vollbringen,
Sondern bös Begierden zwingen,
Will er in den Himmel ein;
Welche hier ihr'n Muthwill treiben,
Müssen aus dem Himmel bleiben,
Mach darnach die Rechnung dein.

16 Armuth gern und willig leiden,
Und Verfolgung auch nicht meiden,
Ist der Auserwählten Speis,

Loben Gott aus reinem Herzen,
Leiden willig alle Schmerzen,
Selig, wer lernt diese Weis'.

17 Willst du nun gern selig werden,
Ey so lebe recht auf Erden,
Halt dich bey dem kleinen Hauf,
Dann nach diesem kurzen Leben,
Wird dir Gott ein ewig's geben,
Dich in sein Reich nehmen auf.

18 Ey, wohlan! so laß geschehen,
Laß es immer mit mir gehen,
Wie Gott will auf dieser Erd;
Herr, du wollest mich dann stärken,
In Gedanken, Wort und Werken,
Daß ich nur mag selig seyn.

————

(23)

Wach auf, mein Herz! und singe
Dem Schöpfer aller Dinge,
Dem Geber aller Güter,
Dem frommen Menschenhüter.

2 Heut, als die dunklen Schatten
Mich ganz umgeben hatten,
Hat Satan mein begehret,
Gott aber hats gewehret.

3 Ja, Vater, als er suchte,
Daß er mich fressen möchte,
War ich in deinem Schooße,
Dein Flügel mich umschlosse.

4 Du sprachst: mein Kind, nun liege,
  Trotz dem, der dich betrüge,
  Schlaf wohl, laß dir nicht grauen,
  Du sollt die Sonne schauen.

5 Dein Wort das ist geschehen,
  Ich kann das Licht noch sehen,
  Von Noth bin ich befreyet,
  Dein Schutz hat mich verneuet.

6 Du willst ein Opfer haben,
  Hier bring ich meine Gaben,
  Mein Weihrauch und mein Widder
  Sind mein Gebät und Lieder.

7 Die wirst du nicht verschmähen,
  Du kannst ins Herze sehen,
  Und weißt wohl, daß zur Gabe
  Ich ja nichts Bessers habe.

8 So wollst du nun vollenden
  Dein Werk an mir, und senden,
  Der mich an diesem Tage
  Auf seinen Händen trage.

9 Sprich ja zu meinen Thaten,
  Hilf selbst das Beste rathen:
  Den Anfang, Mitt'l und Ende,
  Mein Gott, zum Besten wende.

10 Mit Segen mich beschütte,
   Mein Herz sey deine Hütte,
   Dein Wort sey meine Speise,
   Bis ich gen Himmel reise.

Mel. Ein feste Burg ist unser Gott. (31)

Herre Gott, in deinem Thron,
Du hast zum ersten geben
Dei'm Volk viel Recht und Sitten schon,
Darnach sie sollen leben.
Aber dasselbig alles hast
In zwey verfaßt
Durch Jesum Christ,
Die Lieb das ist,
Gegen dir und dem Nächsten.

2 Dasselbig wir vernommen hon,
Von Christo unserm Herren,
Als er da spricht: das G'setz wird stohn,
Was die Propheten lehren.
Alles erfüllt in zwey Gebot,
Das erst, hab Gott
Von Herzen lieb,
Aus ganzem G'müth,
Von ganzer Seel und Kräften.

3 Zum andern sollt auch lieben thuu,
Wie dich selbst deinen Nächsten.
Alsdann hast du erfüllet schon
Das G'setz und die Propheten;
Dann welcher Mensch hie liebet Gott,
Hält sein Gebot
Dran wird erkennt,
Ja welche sind,
Die Gott von Herzen lieben.

4 Welcher nun spricht, er liebe Gott,
Und aber nicht thut halten
Mit ganzem Fleiß seine Gebot,
Wird ein Lügner gescholten.
Dann Christus selbst gesprochen hat:
Wer mein Gebot
Steif halten ist
Zu aller Frist,
Derselb thut mich recht lieben.

5 Wer Lieb hat, ist von Gott geboren,
Dann Gott ist selbst die Liebe.
Alle die hat er auserkohr'n,
Die sich darinnen üben.
Die Liebe nimmer fehlen thut,
Sie wirkt das Gut,
Zu aller Zeit
Ist sie bereit,
Zu Gottes Preis und Ehren.

Mel. So wahr ich lebe, spricht dein. (32)

Uufer Vater im Himmelreich,
Der du uns alle heißest gleich
Brüder seyn, und dich rufen an,
Und willst, daß es werd recht gethan;
Gieb, daß nicht bät allein der Mund,
Hilf, daß es geh von Herzensgrund.

2 Geheiligt werd der Name dein,
Dein Wort bey uns hilf halten rein,
Daß wir auch leben heiliglich,
Nach deinem Namen würdiglich;
Behüt uns, Herr, vor falscher Lehr,
Das arm verführte Volk bekehr.

3 Es komm dein Reich zu dieser Zeit,
Und dort hernach in Ewigkeit;
Der Heil'ge Geist uns wohne bey
Mit seinen Gaben mancherley.
Des Satans Zorn und groß Gewalt
Zerbrich, vor ihm dein Kirch erhalt.

4 Dein Will gescheh, Herr Gott! zugleich
Auf Erden, wie im Himmelreich.
Gieb uns Geduld in Leidenszeit,
Gehorsam seyn in Lieb und Leid,
Wehr und steur allem Fleisch und Blut,
Das wider deinen Willen thut.

5 Gieb uns heut unser täglich Brod,
Und was man darf zur Leibesnoth,
Behüt uns, Herr! vor Krieg und Streit,
Vor Seuchen und vor theurer Zeit,
Das wir in gutem Frieden stehn,
Der Sorg und Geizes müßig gehen.

6 All unser Schuld vergieb uns, Herr!
Daß sie uns nicht betrübet mehr,
Wie wir auch unsern Schuldigern
Ihr Schuld und Fehl vergeben gern:

18*

Zu dienen mach uns stets bereit,
In rechter Lieb und Einigkeit.

7 Führ uns, Herr! in Versuchung nicht,
Wann uns der böse Geist anficht.
Zur linken und zur rechten Hand,
Hilf uns thun starken Widerstand,
Im Glauben fest und wohlgerüst,
Und durch des Heil'gen Geistes Trost.

8 Von allem Uebel uns erlös,
Es sind die Zeit und Tage bös,
Erlös uns von dem ew'gen Tod,
Und tröst uns in der letzten Noth;
Bescheer uns auch ein selige End,
Nimm unsre Seel in deine Händ.

9 Dann dein, o Vater! ist das Reich,
Und die Kraft über alles gleich:
Dein ist auch alle Herrlichkeit
Von nun an bis in Ewigkeit,
Mit Christo deinem Sohn allein,
Und dem Heiligen Geist gemein.

10 Amen, das ist, es werde wahr,
Stärk unsern Glauben immerdar,
Auf daß wir ja nicht zweifeln dran,
Daß wir hiemit gebäten, dann
Auf dein Wort, in dem Namen dein,
So sprechen wir das Amen fein.

M e l. Zu dir hab ich gehoffet, Herr. (33)

In Gottes Namen heb'n wir an,
Er woll uns Hülf und Beystand thun,
Daß wir sein' Zeugen bleiben,
In aller Trübsal bis in Tod,
Daß wir von ihm nicht weichen.

2 So laßt uns Christum sehen an,
Daß wir bleiben auf seiner Bahn;
Wie er uns vor ist gangen,
Laßt uns ihm treulich folgen nach,
Daß wir das Ziel erlangen.

3 Laßt uns auch eben sehen auf,
Daß uns nichts hinder an dem Lauf,
Laßt uns alles ablegen.
Dann wer Christi Jünger will seyn,
Der muß sich all's verwegen.

4 All zeitlich Gut, auch Kind und Weib,
Darzu auch seinen eignen Leib
Muß er Christo ergeben,
Und so er bleibt in Gottes Lieb,
Wird er ewiglich leben.

5 Darum laßt uns Gott lieben thun,
Und seinen Namen rufen an,
Und laßt uns nicht gedenken
An das so in der Welte ist,
Dann es ist all's vergänglich.

6 Und wer die Welt nicht kann verlahn,
Und thut dem Geiz noch hangen an,

Der ist von Gott verlassen;
Wer aber Gottes Diener ist,
Der wird das alles hassen.

7 Dann Christus hat gezeiget an,
Niemand zwey'n Herren dienen kann,
Er muß einen verlassen,
Den einen muß er lieben thuu,
Den andern muß er hassen.

8 Drum wer Christi Diener will seyn,
Der geb sich nur willig darein,
Verfolgung muß er leiden.
Darum er Christo folget nach,
Und thut das Uebel meiden.

9 Derselbig wird gar bald veracht,
Mit Christo muß er leiden Schmach
Von dieser argen Welte,
Die ihr Hoffnung setzt auf Groß und Gut,
In Silber, Gold und Gelde.

10 Aber das alles wird zergahn,
Und wer sich darauf wird verlahn,
Der wird darin verderben;
Ob er schon hätt die ganze Welt,
Muß er zul ♭ doch sterben.

11 Was hilft ihm danu sein großes Gut,
Damit er sein'r Seele Schaden thut?
Womit will ers erlösen?
Es hilft ihm kein irdischer Schatz,
Er mag nicht mehr genesen.

12 Nun seht das Evangelium an,
Das uns sagt von dem reichen Mann,
Der also mußt verderben;
Da er wolit leb'n und fröhlich seyn,
Da muß er gar bald sterben.

13 Also wirds allen denen gohn,
Die ihnen hie Schätz sammlen thuu,
Und Gottes Wort verachten,
Und stellen mehr nach zeitlich Gut,
Das Ewig nicht betrachten.

14 Darum hat Gott geoffenbart,
Und läßt verkünden seine Wort.
Welcher's nun will annehmen,
Der muß Christo hie folgen nach,
Und sich seins Kreuz's nicht schämen.

15 Wie uns Christus thut zeigen an:
Welcher hie etwas thut verlahn,
Von wegen meines Namens,
Und mich bekennt vor dieser Welt,
Deß will ich mich nicht schämen.

16 Ich will ihn auch bekennen thun
Vor meiu'm Vater im Himmelsthron,
Mit mir soll er regieren;
Er wird haben ewige Freud,
Kein Leid soll ihn berühren.

17 Das ist der Schatz in Ewigkeit,
Den Gott der Herr selbst hat bereit

Denen die ihn hie lieben,
Und bleiben steif in seinem Wort,
Und sich darin thuu üben.

18 Denselben hat er zugeseit
Groß Fried und Freud in Ewigkeit,
So sie hie überwinden
In Jesu Christo seinem Sohn,
Und ihn willig bekennen.

19 Welcher mit Christo überwind't
Der wird ewig nicht mehr geschändt,
Die Kron wird er erlangen,
Die Christus ihm verheißen hat,
Die wird er schon empfangen.

———

Mel. Was machen doch und sinnen wir. (22)

Was Gott thut, das ist wohl gethan,
Es bleibt gerecht sein Wille,
Wie er fängt meine Sachen an,
Will ich ihm halten stille:
Er ist mein Gott, der in der Noth
Mich wohl weiß zu erhalten;
Drum laß ich ihn nur walten.

2 Was Gott thut, das ist wohl gethan,
Er wird mich nicht betrügen:
Er führet mich auf rechter Bahn,

So laß ich mich begnügen
An seiner Huld, und hab Geduld;
Er wird mein Unglück wenden,
Es steht in seinen Händen.

3 Was Gott thut, das ist wohl gethan,
Er wird mich wohl bedenken,
Er als mein Arzt und Helfersmann,
Wird mir nicht Gift einschenken,
Für Arzeney; Gott ist getreu,
Drum will ich auf ihn bauen
Und seiner Güte trauen.

4 Was Gott thut, das ist wohl gethan,
Er ist mein Licht, mein Leben,
Der mir nichts Böses gönnen kann;
Ich will mich ihm ergeben
In Freud und Leid. Es kommt die Zeit,
Wo öffentlich erscheinet,
Wie treulich er es meynet.

5 Was Gott thut, das ist wohl gethan.
Muß ich den Kelch gleich schmecken,
Der bitter ist nach meinem Wahn,
Laß ich mich doch nichts schrecken;
Weil doch zul ♮ ich werd ergötzt,
Mit süßem Trost im Herzen,
Da weichen alle Schmerzen.

6 Was Gott thut, das ist wohl gethan,
Dabey will ich verbleiben,
Es mag mich auf die rauhe Bahn

Noth, Tod und Elend treiben,
So wird Gott mich ganz väterlich
In seinen Armen halten;
Drum laß ich ihn nur walten.

––––––––

Mel. Kommt danket dem Helden. (34)

Ach Herzensgeliebte! wir scheiden jetzunder,
Ein jedes das halte sein Herze doch munter
Es schreye mit mir, aus Liebesbegier:
Herr Jesu! Herr Jesu! Ach zench uns
 nach dir.

2 Ja, liebste Geschwister, d'rum lasset uns
 wachen,
Weil unsere Feinde sich kräftig aufmachen,
Sie suchen zu rauben den göttlichen
 Glauben,   [en.
Damit sie verhindern das kindlich Vertrau=

3 Und weilen wir jetzt von einander nun
 treten,
So laßt uns vor einander doch herzlich
 bäten,
Daß keines doch möge abtreten vom Wege
Auf daß wir bewandeln die richtige Stege.

4 Ach liebeste Glieder! es könnte geschehen,
Daß wir einander nicht thäten mehr sehen,
Ein jedes thu Fleiße hier auf seiner Reise,
Damit wir doch tragen die Krone zum Preise.

Mel. Jesu hilf mein Kreuze tragen. (35)

Sollte es gleich bisweilen scheinen,
    Als wenn Gott verließ die Seinen,
Ey so weiß und glaub ich dies,
Gott hilft endlich doch gewiß.

2 Hülfe die er aufgeschoben,
    Hat er drum nicht aufgehoben:
Hilft er nicht zu jeder Frist,
Hilft er doch wenn's nöthig ist.

3 Gleich wie Väter nicht bald geben.
    Wornach ihre Kinder streben:
So hat Gott auch Maas und Ziel,
Er giebt wie und wann er will.

4 Seiner kann ich mich getrösten,
    Wenn die Noth am allergrößten:
Er ist gegen mich sein Kind,
Mehr als väterlich gesinnt.

5 Trotz dem Teufel, trotz dem Drachen,
    Ich kanu ihre Macht verlachen,
Trotz des schweren Kreuzes Joch,
Gott mein Vater, lebet noch. .

6 Trotz des bittern Todes Zähnen,
    Trotz der Welt und allen denen,
Die mir sind ohn Ursach feind:
Gott im Himmel ist mein Freund.

7 Laß die Welt nur immer neiden,
    Will sie mich nicht länger leiden,

Ey! so frag ich nichts darnach,
Gott ist Richter meiner Sach.

8 Will sie mich gleich von sich treiben,
Muß mir doch der Himmel bleiben;
Hab ich den, der ist mir mehr,
Als all ihr Lust, Gut und Ehr.

9 Welt, ich will dich gerne lassen,
Was du liebest, will ich hassen,
Liebe du den Erdenkoth,
Und laß mir nur meinen Gott.

10 Ach Herr! wenn ich dich nur habe,
Sag ich allem andern abe,
Legt man mich gleich in das Grab.
Ach Herr! wenn ich dich nur hab.

———

(In eigener Melodie.)

Es glänzet der Christen inwendiges Leben,
Obgleich sie von außen die Sonne ver=
brannt,
Was ihnen der König des Himmels ge=
geben,
Ist keinem als ihnen nur selber bekannt.
Was niemand verspüret, was niemand
berühret,
Hat ihre erleuchtete Sinnen gezieret,
Und sie zu der göttlichen Würde geführet.

2 Sie scheinen von außen die schlechtesten
    Leute,

Ein Schauspiel der Engel, ein Ekel der
    Welt,

Und innerlich sind sie die lieblichsten Bräute

Der Zierrath, die Krone, die Jesu gefällt;

Das Wunder der Zeiten, die hier sich be-
    reiten,

Den König der unter den Lilien weidet,

Zu küssen in güldenen Stücken gekleidet.

3 Sonst sind sie des Adams natürliche Kinder,

Und tragen das Bilde der irdischen auch,

Sie leiden am Fleische wie andere Sünder,

Sie essen und trinken nach nöthigem
    Brauch;

In leiblichen Sachen, in Schlafen und
    Wachen,

Sieht man sie vor andern nichts sonderlich
    machen.

Nur daß sie die Thorheit der Weltlust ver-
    lachen.

4 Doch innerlich sind sie aus göttlichem
    Stamme,

Die Gott durch sein mächtig Wort selber
    gezeugt,

Ein Funken und Flämmlein aus göttlicher
    Flamme,

Vom obern Jerusalem freundlich gesäugt.

Die Engel sind Brüder, die ihre Loblieder
Mit ihnen gar freundlich und lieblich ab-
    singen;
Das muß dann ganz herrlich, ganz präch-
    tig erklingen.

5 Sie wandeln auf Erden und leben im
    Himmel;
Sie bleiben ohnmächtig, und schützen die
    Welt;
Sie schmecken den Frieden bey allem Ge-
    tümmel,
Die Aermsten auch haben was ihnen gefällt.
Sie stehen in Leiden und bleiben in Freuden,
Sie scheinen ertödtet den äußeren Sinnen,
Und führen das Leben des Glaubens von
    innen.

6 Wann Christus, ihr Leben wird offenbar
    werden,
Wann er sich einst, wie er ist, öffentlich
    stellt;
So werden sie mit ihm, als Götter der
    Erden,
Auch herrlich erscheinen zum Wunder der
    Welt.
Sie werden regieren, und ewig floriren,
Den Himmel als prächtige Lichter auszieren
Da wird man die Freude gar offenbar spüren

7 Frohlocke, du Erde, und jauchzet ihr Hügel,
  Dieweil du des göttlichen Saamens geneußt!
  Denn das ist Jehovah sein göttliches Siegel,
  Zum Zeugniß, daß er dir noch Segen ver=
      heißt.
  Du sollst noch mit ihnen aufs prächtigste
      grünen,
  Waun erst ihr verborgenes Leben erscheinet,
  Wornach sich dein Seufzen mit ihnen ver=
      einet.

8 O Jesu, verborgenes Leben der Seelen,
  Du heimliche Zierde der inneren Welt!
  Gieb, daß wir die heimlichen Wege erwählen,
  Wenn gleich uns die Larve des Kreuzes ver=
      stellt.
  Hier übel genennet und wenig erkennet,
  Hier heimlich mit Christo im Vater gelebet,
  Dort öffentlich mit ihm im Himmel ge=
      schwebet.

———

(In eigner Melodie.)

Mein fröhlich Herz das treibt mich an zu
      singen,
  Wann ich denk an die große Freud',
  Ich hoff mir werd gelingen,
  Die Gott den Seinen hat bereit,
  Die nicht zergeht in Ewigkeit;
  Sollt ich mich deß nicht freuen?

2 Nun höret zu, und thut gar fleißig losen,
  Sieben große Berg sind bereit,
  Die tragen güldne Rosen;
  Zwölf Brunnen die sind auch dabey,
  Die Milch und Honig fließen frey,
  Das thu ich euch verkünden.

3 Noch mehr will ich euch auch anzeigen:
  Es liegt ein Stadt auf weitem Feld,
  Die will er uns geben zu eigen;
  Die Gassen sind klarer den Gold und Glas
  Die Grund und Mauern auch Fürbaß
  Von lauterem Edelg'stein.

4 Zwölf Thore sind auch daran gebauen,
  Mit edlen Perlen rein und klar,
  So viel sind auch der Bäumen;
  Die trägen alle Monat zwölferley Frucht;
  Dahin sollen wir all' seyn g'rüst,
  Wenn wir der Früchten g'nießen.

5 Gar lauter und gar klar sindt mans ge=
      schrieben,
  Ins Menschen Herz kein größre Freud
  Auf Erden nie gestiegen,
  Die doch in Ewigkeit besteht;
  Kein Aug hats g'sehen, kein Ohr gehört,
  So große Wonn und Freude!

6 Nun lasset uns gar fleißig übersummen:
  Eine jede Seel, die selig ist,
  Die leuchtet wie die Sonnen

Wohl in des ewigen Vaters Reich;
Danu werden sie seyn Engeln gleich,
Gleichwie die hellen Sternen.

7 Mit heil'ger Watt und mit weißer Seiden,
Bekleid't Gott sein Auserwählten zart,
Die in ihm also bleiben.
Er legt ihn'n güldne Kron' aufs Haupt,
Ja, welcher das von Herzen glaubt,
Der bleibt in seiner Lehre.

8 Also wird Gott die Seinen all belohnen,
Er wird sie führen in sein Reich,
Da nichts Unreins wird kommen.
Der Herr, der macht den Unterscheid,
Ja zwischen Schaaf und Böcken weit,
Zwischen Bösen und Frommen.

9 Es sind Viel die gern davon hören sagen,
Sie wolltens auch gern nehmen an,
Wenn sie's Krenz nicht müßten tragen,
So steht der Kelch des Leidens dran,
Das müssen wir zum Ersten han,
Woll'n wir die Kron erlangen.

10 Hochgelobet, gepreiset und geehret,
Sey unser liebe Herre Gott,
Der uns den Glauben mehret,
Darzu die heil'ge Dreyeinigkeit:
Wir loben Gott in Ewigkeit,
Durch Christum Jesum, Amen.

————

(In eigner Melodie.)

Zu singen hab ich im Sinn,
  Wollt doch viel lieber weinen,
Wenn ich denk wer ich bin.

2 Ein schwache Kreatur,
  Gemacht aus Staub und Erden,
Arbeitsel'g von Natur.

3 Was ist des Menschen Sach?
  Was ist des Menschen Leben?
Es ist ein Krankheit schwach.

4 Es ist viel Angst und Noth,
  Viel Kummer und viel Trauern,
Das währt bis in den Tod.

5 Der Tod ein End der Quaal,
  Durch den uns Gott thut führen
Aus diesem Jammerthal.

6 Der Tod der ist gemein;
  Wir müssen all von hinnen;
Der Groß gleichwie der Klein.

7 O Mensch! ergieb dich drein,
  Es mag nichts anders werden,
Es muß gestorben seyn.

8 Der Tod, der Sünden Sold,
  Könnt mancher ihn abwenden,
Er gäb sein Gut und Gold.

9 Ich nicht, ich bin ein Christ,
 Und weiß daß mir das Sterben
 Ein Thür zum Leben ist.

10 Ach Herr, das freut mich wohl,
 Daß ich von dieser Erden
 Zur Ruhe kommen soll.

11 Dem Fleisch bring es sein Klag,
 Auf Gott will ich vertrauen,
 Der mich wohl trösten mag.

12 Der Gottlos fürcht den Tod,
 Er kann sich drauf nicht freuen,
 Er bringt ihm Angst und Noth.

13 O Mensch! achts nicht ein Schimpf,
 Du hättest bald verloren,
 Das Ewig nimmer findst.

14 O Mensch! rüst dich zum Tod,
 Bitt Gott daß er dich löse
 Aus aller Angst und Noth.

15 Merkt wohl den Unterscheid,
 Der ein' fährt hin mit Freuden,
 Der ander mit Herzleid.

16 Es steht an Gottes Gnad,
 Darum hüt dich vor Sünden,
 Es sey früh oder spat.

17 Betracht allzeit dein End,
Mit Glauben thu befehlen
Dein Seel in Gottes Händ.

18 Der Tod kommt vor die Thür
Wohlauf mit mir von hinnen,
Es hilft nun nichts darfür.

19 Mußt sterb'n in kurzer Zeit,
Darum so thu dich rüsten
Auf diesen letzten Streit.

20 All's was du hast auf Erd,
Das laß nun willig fahren,
Daß dir ein Bessers werd.

(In eigner Melodie.)

Mein Herz! sey zufrieden, betrübe dich nicht,
Gedenk, daß zum besten dir alles geschicht
Wann dir was begegnet,
Obs Unglück gleich regnet;
Bald kommet die Sonne mit fröhlichem
Schein :
Mein! sey nur zufrieden, dein Trauern stell
ein !

2 Mit Trauern und Sorgen ist nichts ausge-
richt;
Wer recht ist vergnüget, dem gar nichts gebricht:

Wer sich läßt vergnügen
An Gottes Verfügen,
Der lebet glückselig auf irdischer Welt,
Weil er ist zufrieden, wie Gott es gefällt.

3 Die rechte Vergnügung darinnen besteht,
Daß man ist zufrieden, ob's seltsam hergeht
Bey glücklichen Tagen
Kann mancher wohl sagen :
Ich will nun zufrieden mit meinem Gott
seyn ;
Mein ! sey auch zufrieden, wann Kreuz sich
stellt ein.

4 Vergnügung des Herzens ist besser den Gold;
Mit aller Welt Schätzen nicht tauschen ich
wollt :
Allein es sind Gaben,
Die alle nicht haben ;
Wohl dem, der sich darauf gegründet hat fest;
Drum sag ich, Vergnügung ist dennoch das
Best'.

5 Gott geb einem jeden vergnügenden Muth,
Daß was er ihm schicket, er halte für gut :
Mit Sorgen und Grämen
Läßt Gott sich nichts nehmen ;
Es schwächt die Gesundheit, dem Herzen
bringt Pein :
Drum sey nur zufrieden, dein Trauern stell
ein !

6 Wohl! ich will zufrieden mit meinem Gott
seyn;
Er schicke mir Freuden, er schicke mir Pein,
So soll mir in allen
Sein Wille gefallen;
Dann er weiß am Besten, was nützlich mir
sey;
Drum bin ich zufrieden, es bleibet darbey.

Zugabe.

---

(5)

Merkt auf ihr Völker alle,
Was ich euch sagen will,
Gott geb' daß euch gefalle
Vor allem Saitenspiel,
Wollt ihr hinter euch lassen
Ein Schatz der Gott gefallt,
Eure Kinder dermaßen,
Geschieht es solcher Gestalt.

2 Wollt ihnen scharf vorhalten
Gottes Wort und sein Gesetz,
Darnach Gott lassen walten,
Das ist ein guter Schatz,
So ihr selbst darnach lebet,
Wie euch's Wort unterweist,
Ein gut Exempel gebet,
Darin'n wird Gott gepreist.

3 Hab Gott allzeit vor Augen
Im ganzen Leben dein,
Thu' nach der Welt nicht fragen,
Wo du recht weis' willt seyn.

Thut dir Gott offenbaren
Sein Wort und Willen schon,
Wollst es nicht länger sparen,
Und dem in Eil nachgohn.

4 Der Tod hat in den Alten
Und Jungen kein Unterschied,
Wirst du dich nicht recht halten,
Es wird dir werden leid.
Die vorgenannte Zeiten
Wollst du wohl legen an,
Und nicht ins Alter beyten,
Wirst nicht allweg Zeit han.

5 Dein Wohnung sollt du haben
Bey den Frommen allein,
Und mit den stolzen Knaben
Gar nichts haben gemein.
Ob dir die Bösen riefen,
Daß du sollt mit ihu'n gahn,
Thu dich mit nichts vertiefen,
Gang nicht auf dieser Bahn.

———

(3)

Fröhlich so will ich singen,
Mit Lust ein Tageweis',
Von wunderlichen Dingen,
Dem höchsten Gott zu Preis.
In seinem Namen heb ich an,
Sein Gnad woll er mir gönnen,
So g'lingt mirs auf der Bahn.

2 Im Anfang war das Worte,
   Bey Gott in Ewigkeit,
   Es nahm auch nie sein Orte,
   All Ding durch es ist b'reit.
   Es ist das Licht das ewig scheint,
   In ihm war nie kein Mangel,
   Es bleibt auch ewig rein.

3 All Ding und was sollt werden,
   Ist gut durch ihn gemacht,
   Der Himmel und die Erden,
   Darzu auch Tag und Nacht,
   In ihm lebt alle Creatur,
   Was je gewann das Leben,
   Alles nach seiner Natur.

4 Das Wort von Gott ist gangen
   Zu einer Magd ganz rein,
   Vom Heiligen Geist empfangen,
   Das Wort bleibt nicht allein.
   Das Fleisch und Wort zusammen kam,
   Menschlich Natur und Arte,
   Von Davids G'schlecht.es nahm.

5 Also ward Wort und Fleische
   Ein wahrer Mensch und Gott,
   Das Wort vom Heiligen Geiste
   Vermischt in menschlich Noth.
   Abrahams Saamen nahm er an,
   Wie ihm Gott hat verheißen,
   So hat er's auch gethan.

(6)

Merkt auf mit Fleiß ein Himmelſpeiß,
Iſt uns von Gott gegeben
Durch Jeſum Chriſt, welcher da iſt
Gottes Wort, vernimm mich eben,
Denſelben hat im Anfang Gott
Den Vätern ſchon verheißen,
Zur Seligkeit und ewiger Freud,
Darin'n thät er es leiſten.

2 Chriſtus das Lamm auf Erden kam
Um aller Menſchen willen,
Daß er behend das Geſetz vollendt
Welches Niemand mögt erfüllen,
Wie es dann Gott geſtellet hat
Durch Moſen ſeinen Knechte
In der Figur welche war nur
Weiſend auf Chriſtum rechte.

3 Chriſtus der Herr ſtellt uns die Lehr,
Dieſelb' thut uns beſcheiden,
Wirket die Buß, folgt meinem Fuß,
Und thut all Sünd vermeiden.
Die Sitten ſein ſtellt er ganz rein,
Darnach ſie ſollen leben,
Zu Gottes Preis, merk auf mit Fleiß,
Darum ſind ſie uns geben.

4 Als war die Zeit nach dem Beſcheid,
Daß Chriſtus nun ſollt leiden,
Eh ers vollendt, heißt er behend,
Ihm ein Lämmlein bereiten.

Daſſelb er auch nach G'ſetzes Brauch,
Mit den Jüngern thät g'nießen.
Darnach er b'hend, das Alt vollendt,
Ein Neu's thät er beſchließen.

5 Da die Stund kam das Brod er nahm,
Thät dem Vater Lob ſprechen,
Daſſelb er brach, zu'n Jüngern ſprach:
Nehmt hin und thut das eſſen,
Dabei ihr mein ſollt g'denken ſein,
Mein Leib will ich da geben
Für euch, und viel ich leiden will
Daß ihr mit mir thut leben.

6 Desgleichen auch, mit ſolchem Brauch
Hat er den Kelch genommen,
Aus Vaters Gnad Ihm danket hat,
Und dann geben den Jüngern,
Er ſprach dabei, der Kelch da ſey
Des neuen Teſtamentes
In meinem Blut, g'ſchicht euch zu gut,
Am Kreuz thät ers vollenden.

————

(17)

Ich habe nun den Grund gefunden,
  Der meinen Anker ewig hält:
Wo anders als in Jeſu Wunden?
  Da lag er vor der Zeit der Welt:
Den Grund, der unbeweglich ſteht,
Wenn Erd und Himmel untergeht.

2 Es ist das ewige Erbarmen,
  Das alles Denken übersteigt ;
  Es sind die offnen Liebes=Armen
  Deß, der sich zu den Sündern neigt ;
  Dem gegen uns das Herze bricht,
  Daß wir nicht kommen ins Gericht.

3 Wir sollen nicht verloren werden,
  Gott will, uns soll geholfen seyn ;
  Deswegen kam der Sohn auf Erden,
  Und nahm hernach den Himmel ein ;
  Deswegen klopft er für und für
  So stark an unsers Herzens Thür.

4 Es gehe nur nach dessen Willen,
  Bey dem so viel Erbarmen ist ;
  Er wolle selbst mein Herze stillen,
  Damit er das nur nicht vergißt :
  So stehet es in Lieb und Leid,
  Ja durch und auf Barmherzigkeit.

5 Bey diesem Grunde will ich bleiben,
  So lange mich die Erde trägt ;
  Das will ich denken, thuu und treiben,
  So lange sich ein Glied bewegt ;
  So sing ich einstens hoch erfreut :
  O ewige Barmherzigkeit.

(17)

Ich will euch Kinder nicht verhehlen
Was mir sehr an dem Herze liegt,
Ihr seyd ja theu'r erkaufte Seelen;
Euch kann ich ja vergessen nicht,
Weil Satan auch auf dieser Welt,
Viel Netz und Fallstrick hat gestellt.

2 Um eure Seelen zu bestricken
Und führen sie gebunden fort,
Den breiten Weg durch seine Tücken,
Gerade nach der Höllen=Pfort,
Zu stürzen sie in Ewigkeit
In Jammer, Qual und großes Leid.

3 Er stellt euch vor die Lust der Augen,
Er stellt euch vor die Lieb der Welt,
Die Fleisches=Lust daraus zu saugen:
Durch Ehre, Wollust, Gut und Geld;
Durch Hoffart, Geiz, Betrügerey;
Durch Falschheit, Lügen, Heucheley.

4 Durch Fressen, Saufen, Tanzen, Springen
Fluchen und Schwören ohne Scheu;
Leichtfertig, Scherz=Red, Zoten, Singen,
Zu pflanzen fort die Hurerey;
So kommt aus diesem dann noch fort,
Haß, Neid und Feindschaft, Krieg und Mord.

5 Ich bitte euch, ihr lieben Kinder,
Ach! ich ermahn' und bitte euch,
Folgt nicht dem Wege solcher Sünder,

Er führt euch ab von Gottes Reich;
Fürcht' Gott, und bitt ihn früh und spat,
Daß er euch führ den rechten Pfad.

6 Bedenkt es wohl, ihr lieben Kinder,
Und übt euch in Gottseligkeit;
Laßt euch die Welt nicht sein ein Hinder
An eurem Heil und Seligkeit;
So werd't ihr dort in Ewigkeit
Euch freuen ohne Qual und Leid.

————

(13)

Werde munter mein Gemüthe,
Und ihr Sinnen geht herfür,
Daß ihr preiset Gottes Güte,
Die er hat gethan an mir:
Daß er mich den ganzen Tag,
Vor so mancher schweren Plag'
Erhalten hat und noch erhält,
Und auch mein Haus so gut bestellt.

2 Laß mich diese Nacht empfinden,
Eine sanft' und süße Ruh,
Alles Uebel laß verschwinden,
Decke mich mit Segen zu:
Leib und Seele, Muth und Blut,
Weib und Kinder, Hab und Gut,
Freunde, Feind und Hausgenossen
Sind in deinen Schutz geschlossen.

3 Ach, bewahre mich vor Schrecken,
  Schütze mich vor Ueberfall;
  Laß mich Krankheit nicht aufwecken,
  Treibe weg des Krieges Schall;
  Wende Feuer und Wassers=Noth,
  Pestilenz und schnellen Tod;
  Laß mich nicht in Sünden sterben,
  Noch an Leib und Seel verderben.

4 O du großer Gott! erhöre
  Was dein Kind gebeten hat;
  Jesu! den ich stets verehre,
  Bleibe ja mein Schutz und Rath,
  Und mein Hort, du werther Geist,
  Der du Freund und Tröster heißt,
  Höre doch mein sehnlich's Flehen,
  Amen, ja es soll geschehen.

———

(1)

Die Glocke schlägt und zeigt damit,
Die Zeit hat abgenommen;
Ich bin schon wieder einen Schritt
Dem Grabe näher kommen;
Mein Jesus schlag an meine Brust
Weil mir die Stunde nicht bewußt,
Die meine Zeit beschließet.

2 Soll diese nun die letzte seyn
Von meinen Lebensstunden,
So schließ mich durch den Glauben ein
In deine theuren Wunden:
Doch giebst du mir noch eine Frist,
So schaffe, das ich als ein Christ
Dir leb, und selig sterbe.

---

(5)

Nun wollt ich gerne singen,
und dazn fröhlich seyn,
So will mirs nicht gelingen,
Noch gehn von Herzen mein.
Derhalben muß ichs lassen,
Den Trübsal nehmen ein,
Mein Seel mit Geduld fassen,
Bis kommt der Tröster mein.

2 Darum so will ich harren,
Warten der seinen Zeit,
Alle Ding lassen fahren,
Bis es Gott anders geit.
O Herr gieb mir Gedulde,
Allhie in dieser Zeit,
Daß ich mich nicht verschulde
In meiner Traurigkeit.

3 Mein G'müth ist mir zerschlagen,
Von Trübniß also sehr,
Daß ich auch möcht verzagen,
Wo die Hoffnung nicht wär.

Derselben thu ich leben
Hab Verlangen dabei,
Und hoff Gott werd bald geben
Was mich von Herzen freu.

4 Darum thu ich dich bitten,
In Christo deinem Sohn,
Als aus kindlichen Sitten,
Wollst mich gewähren thun.
Herr Gott, erhör mein Klagen,
Daß ich nicht werd zu Spott,
Und thu mir nicht versagen,
Rett mich aus aller Noth.

———

(21)

Wie steht es um die Triebe
Der brüderlichen Liebe,
Volk Gottes! unter dir?
Mich dünkt, die Glut verschwindet
Die Christi Geist entzündet
Und Kaltsinn blickt, statt deß herfür.

2 Herr, wende doch in Gnaden
Von deinem Reich den Schaden,
Den Trennung stiften kann;
Die Herzen zieh zusammen,
Und zünde neue Flammen
Der Liebe in den Deinen an.

3 So mancher steht getrennet,
   Der sich doch mit bekennet
   Zu Christi kleinen Schaar!
   Geziemt sich das von Brüdern,
   Von eines Leibes Gliedern?
   Zeigt nicht die Schrift dawider klar?

4 Urtheilen, tadeln, richten,
   Kann leicht das Band vernichten,
   Das uns zusammen hält;
   Da kanns dem Feind gelingen,
   Uns in sein Netz zu bringen,
   Da trifft uns Lästerung der Welt.

5 O darum, Christi Glieder,
   Ermuntert euch doch wieder,
   Vergeßt das Lieben nicht.
   Dies selige Geschäfte
   Erfordert Gnadenkräfte,
   Und ist der Christen erste Pflicht.

6 Seht ihr den Schwachen gleiten,
   So fasset ihn bey Zeiten
   Mit Liebe wieder an;
   Mit Liebe reizt den Trägen
   Und bringt von Nebenwegen
   Den Bruder auf die rechte Bahn.

7 Herr! dein Beistand leiste,
   Daß wir in einem Geiste,
   Gesinnt nach Jesu Christ,

In Liebe hier auf Erden
Recht einig mögen werden,
Weil Liebe ja das Beste ist.

8 Durch deinen Geist der Liebe,
Regiere unsre Triebe,
Bewahre unser Herz:
So wandeln wir als Brüder,
Als eines Leibes Glieder
Auf einem Wege himmelwärts.

---

(17)

Ach Brüder! fahret fort mit Wachen,
Flieht doch mit Ernst die Sicherheit,
Laßt euch doch ja nicht schläfrig machen,
Sonst ist gar bald der Fall bereit:
Der Feind gibt stets genaue Acht,
Und schadet jedem, der nicht wacht.

2 Dies Wachen muß auch stets gescheh'n,
Weil die Gefahr ist mancherley:
Wenn wir auch keine vor uns seh'n,
So sind wir darum doch nicht frey,
Der Sicherheit folgt Rene nach;
Steh auf der Hut und bleibe wach.

3 Besonders muß man auch bewachen
Die Feinde, die man in sich trägt;
Sie können uns viel Schaden machen,

Sie werden oft und leicht erregt,
Und bringen desto mehr Gefahr,
Je mehr ihr Netz verborgen war.

4 Ich meine hier die Lieblings=Sünden,
Wohin stets unsre Neigung geht;
Wie leicht läßt man sich überwinden,
Wenn man nicht stets im Wachen steht,
Und nicht gerüstet ist zum Streit,
So ist gewiß der Fall nicht weit.

5 Ach Gott! wie ist der Feind geschäftig,
Wie nahe ist uns die Gefahr!
Wenn eben erst am Herzen kräftig
Dein Gnadenzug zu spüren war,
Und wenn wirs nimmermehr gedacht,
So sind wir schon zum Fall gebracht.

6 O Herr! wer kann das Herz ergründen,
Dies ist und bleibt dein Werk allein;
Wer rettet uns aus unsern Sünden,
Wenn du nicht wolltest Retter seyn?
Gib uns an deiner Gnade Theil
Und wache selbst zu unserm Heil.

———

(9)

Wie sicher lebt der Mensch, der Staub!
Sein Leben ist ein fallend Laub;
Und dennoch schmeichelt er sich gern,
Der Tag des Todes sey noch fern.

2 Der Jüngling hofft des Greises Ziel;
Der Mann noch seiner Jahre viel;
Der Greis zu vielen noch ein Jahr,
Und keiner nimmt den Irrthum wahr.

3 Der Tod rückt Seelen vor's Gericht;
Da bringt Gott alles an das Licht
Und macht was hier verborgen war—
Den Rath der Herzen offenbar.

4 Drum, da dein Tod dir täglich dräu't,
So sey doch wacker und bereit;
Prüf' deinen Glauben als ein Christ,
Ob er durch Liebe thätig ist.

5 Ein Herz das Gottes Stimme hört,
Ihr folgt und sich vom Bösen kehrt,
Ein gläubig Herz von Lieb erfüllt,
Dies ist es was in Christo gilt.

- - -

(15)

Gott des Himmels und der Erden,
Vater, Sohn und Heil'ger Geist!
Der es Tag und Nacht läßt werden,
Sonn und Mond uns scheinen heißt;
Dessen starke Hand die Welt,
Und was drinnen ist, erhält.

2 Gott! ich danke dir von Herzen,
Daß du mich in dieser Nacht,
Vor Gefahr, Angst, Noth und Schmerzen,

Haſt behütet und bewacht,
Daß des böſen Feindes Liſt
Mein nicht mächtig worden iſt.

3 Laß die Nacht auch meiner Sünden
Jetzt mit dieſer Nacht vergehn,
O Herr Jeſu! laß mich finden
Deine Wunden offen ſtehn,
Da alleine Hülf und Rath
Iſt für meine Miſſethat.

4 Hilf, daß ich auch dieſen Morgen
Geiſtlich auferſtehen mag,
Und für meine Seele ſorgen,
Daß, wenn nun dein großer Tag
Uns erſcheint und dein Gericht,
Ich davor erſchrecke nicht.

5 Führe mich, o Herr! und leite
Meinen Gang nach deinem Wort;
Sey und bleibe du auch heute
Mein Beſchützer und mein Hort;
Nirgends als bey dir allein
Kann ich recht bewahret ſeyn.

———

(2)

Mein erſt Gefühl ſey Preis und Dank;
Erheb Ihn, meine Seele!
Der Herr hört deinen Lobgeſang;
Lobſing Ihm, meine Seel!

2 Mich selbst zu schützen ohne Macht,
   Lag ich und schlief in Frieden.
   Wer schafft die Sicherheit der Nacht,
   Und Ruhe für die Müden?

3 Wer wacht, wenn ich von mir nichts weiß,
   Mein Leben zu bewahren?
   Wer stärkt mein Blut in seinem Fleiß,
   Und schützt mich vor Gefahren?

4 Wer lehrt das Auge seine Pflicht,
   Sich sicher zu bedecken?
   Wer ruft dem Tag und seinem Licht,
   Die Seele zu erwecken?

5 Du bist es, Herr und Gott der Welt,
   Und dein ist unser Leben.
   Du bist es, der es uns erhält,
   Und mir's jetzt neu gegeben.

6 Gelobet seyst du Gott der Macht,
   Gelobt sey deine Treue!
   Daß ich nach einer sanften Nacht
   Mich dieses Tags erfreue.

7 Laß deinen Segen auf mir ruh'n,
   Mich deine Wege wallen;
   Und lehre du mich selber thuu,
   Nach deinem Wohlgefallen.

(22)

Preist, Christen, mit Zufriedenheit,
  Preist Gott, den Herrn der Ernte,
Daß sich nicht ganz die Fruchtbarkeit
Von Au und Feld entfernte!
Noch stets erhält er seine Welt;
Was nöthig ist zum Leben,
Will er uns alles geben.

2 Er ist der Herr! in seiner Hand
Ist, was die Erde bringet;
So sehr auch Menschenfleiß das Land
Bau't, pfleget und bedünget,
Kommt doch allein von Ihm Gedeih'n;
Nur Er, Er läßt die Saaten
Blüh'n, reifen und gerathen.

3 Oft sehn wir froh in Hoffnung schon
Der reichen Ernt' entgegen,
Und plötzlich ist er uns entflohn,
Der uns gezeigte Segen;
Gott nimmt und giebt, was Ihm beliebt,
Daß er als Herr der Erde,
Von uns verehret werde.

4 Zeigt auch gleich nicht so sichtbar sich
Der Reichthum seiner Gaben;
So giebt er uns doch sicherlich,
So viel wir nöthig haben;
Ist stets bedacht, voll Gnad und Macht
Die Seinen zu erhalten,
Die ihn nur lassen walten.

5 Und o! was ists für ein Gewinn,
An dem sich g'nügen lassen,
Was da ist und mit heiterm Sinn
Das feste Zutrau'n fassen,
Daß, der die Welt regiert und hält,
Auch uns, so lang wir leben,
Was nöthig ist, wird geben.

6 Ja, Höchster! wir verehren dich
In allen deinen Wegen,
Und trauen unveränderlich
Auf deinen milden Segen:
Auch unser Brod wirst du uns, Gott,
Von Zeit zu Zeit gewähren,
Wenn wir dich kindlich ehren.

----

(23)

Nun laßt uns gehn und treten,
Mit Singen und mit Beten,
Zum Herrn, der unserm Leben
Bis hieher Kraft gegeben.

2 Wir geh'n dahin und wandern
Von einem Jahr zum andern;
Wir leben und gedeihen
Vom Alten bis zum Neuen.

3 Sprich deinen milden Segen
Zu allen unsern Wegen;
Laß Großen und auch Kleinen
Die Gnadensonne scheinen.

4 Sey der Verlaß'nen Vater,
  Der Irrenden Berather,
  Der Unversorgten Gabe,
  Der Armen Gut und Habe.

5 Hilf gnädig allen Kranken;
  Gieb fröhliche Gedanken
  Den hochbetrübten Seelen,
  Die sich mit Schwermuth quälen.

6 Und endlich was das Meiste,
  Füll' uns mit deinem Geiste,
  Der uns hier herrlich ziere,
  Und dort zum Himmel führe.

7 Das alles woll'st du geben,
  O meines Lebens Leben!
  Mir und der Christenschaar,
  Zum sel'gen neuen Jahr.

———

(15)

Setze dich mein Geist ein wenig,
  Und beschau die Wunder groß,
Wie dein Gott und Ehrenkönig
Hängt am Kreuze nackt und bloß!
Schau die Liebe, die ihn triebe
Zu dir aus des Vaters Schooß.

2 Ob dich Jesus liebt von Herzen,
Kannst du hier am Kreuze seh'n:
Schau, wie alle Höllenschmerzen
Ihm bis in die Seele geh'n;
Fluch und Schrecken ihn bedecken,
Höre doch mein Klaggetön.

3 Seine Seel', von Gott verlassen,
Ist betrübt bis in den Tod;
Und sein Leib hängt gleichermaßen
Voller Wunden, Blut und Koth:
Alle Kräfte, alle Säfte
Sind erschöpft in höchster Noth.

4 Dies sind meiner Sünden Früchte,
Die, mein Heiland, ängsten dich;
Dieser Leiden schwer Gewichte
Sollt zum Abgrund drücken mich;
Diese Nöthen die dich tödten,
Sollt ich fühlen ewiglich.

5 Doch, du hast für mich besieget
Sünde, Tod und Höllenmacht;
Du hast Gottes Recht vergnüget,
Seinen Willen ganz vollbracht;
Und mir eben zu dem Leben
Durch dein Sterben Bahn gemacht.

6 Ach ich Sündenwurm der Erden!
Jesu, stirbst du mir zu gut?
Soll dein Feind erlöset werden

Durch dein eigen Herzens=Blut?
Ich muß schweigen und mich beugen
Für dies unverdiente Gut.

7 Laß in allen Leidenswegen
Deine Leiden stärken mich,
Daß mein Leiden mir zum Segen
Mag gedeihen stätiglich;
Daß mein Herze auch im Schmerze,
Ohne Wanken liebe dich.

———

(39)

Ich sage gut' Nacht
Der irdischen Pracht,
Verlasse die Welt,
Und schwinge die Seele ins himmlische Zelt.

2 Du weltlicher Muth!
Das irdische Gut,
Ist das dich erfreuet:
Das weißt du, daß alles vertilget die Zeit.

3 Was bild'st du dir ein
Bey nichtigem Schein,
Dieweilen du schön?
Ey! glaube, die Schönheit kann plötzlich
vergehn.

4 Die schönste Gestalt
Verschwindet ja bald;
Den Rosen sie gleicht:
Die Rosen verfallen, die Röthe verbleicht.

5 Was bild'st du dir ein
Bey nichtigem Schein,
Dieweilen du reich?
Ey! glaube, der Reichthum ist jenem nicht
gleich.

6 Das widrige Glück
Hält alles zurück
In schnellester Eil,
Und wird dir nichts anders als Trauern
zu Theil.

7 Das was man geliebt
Macht endlich betrübt
Durch seinen Verlust;
Der kränket die Sinnen und quälet die
Brust.

8 Die prächtige Welt
Auch selbsten verfällt;
Das Ewige bleibt,
Wenn Alles sein endliches Ende erreicht.

9 Ich sag gut' Nacht
Der irdischen Pracht;
Ich ändre den Lauf,
Und seufze: Komm Jesu und hol' mich
hinauf.

(9)

O Vater kindlich beten wir
Um unser täglich Brod zu dir!
Giebs deinen Kindern die du liebst,
Und segue, was du huldreich giebst!

2 Thu auf Herr, deine milde Hand!
Auf dich ist aller Blick gewandt,
Der du von allem, was da ist
Der Schöpfer und Versorger bist.

3 Du hast auch uns bisher genährt,
Was wir bedurften uns gewährt,
Und wirst es künftig nicht entziehn,
Wenn wir voll Glaubens zu dir fliehn.

4 Laß uns zwar satt, doch mäßig seyn,
Und deiner Güte dankbar freu'n;
Und nie vergessen im Genuß,
Daß auch der Arme leben muß.

---

(17)

Alleiu und doch nicht ganz alleine
Bin ich in meiner Einsamkeit;
Denn wenn ich ganz verlassen scheine,
Vertreibt mir Jesus selbst die Zeit:
Ich bin bey ihm und er bey mir;
So kommt mir gar nichts einsam für.

2 Komm ich zur Welt man red't von Sachen,
Die nur auf Eitelkeit gericht;
Da muß sich lassen der verlachen,

Der etwas von dem Himmel spricht:
Drum wünsch ich lieber ganz allein
Als bei der Welt ohn' Gott zu seyn.

3 Verkehrte können leicht verkehren:
Wer greift Pech ohne kleben an?
Wie sollt ich danu dahin begehren
Da man Gott bald vergessen kann?
Gesellschaft die gefährlich scheint,
Wird oftmals nach dem Fall beweint.

4 Zu dem kann sich ein Mensch verstellen;
Wer will in alle Herzen seh'n?
Man sieht oft heimliche Gesellen,
Die sich nur nach dem Winde dreh'n,
Daß der, so voll von Zucker war,
Bald eine Schlange drauf gebar.

5 Drum kann mir Niemand hier verdenken,
Wenn ich in meiner Einsamkeit,
Mich also suche zu beschränken,
Daß Gott allein mein Herz erfreu't:
Die Welt ist voller Trug und List;
Wohl dem der Gott verbunden ist.

6 Ein Erd=Kind mag Gesellschaft suchen;
Ich suche Gott in stiller Ruh:
Und sollte mir die Welt gleich fluchen,
So schließ ich meine Kammer zu,
Und nehme Gott mit mir hinein,
So wird die Welt betrogen seyn.

7 Ach Jesu! lasse dich nur finden
In dieser meiner stillen Zeit,
Und laß mir alle Lust verschwinden
Zur weltlichen Vergnüglichkeit:
Nimm du mein Herz und gieb dich mir,
So sind ich alles wohl bey dir.

––––––––

(15)

Weg mit allem was da scheinet
Jrdisch klug in dieser Welt:
Was mich nicht mit dem vereinet,
Dem der Kinder Herz gefällt,
Der mich froh und glücklich machet,
Wenn der Schwarm der Thoren lachet.

2 Was mich nicht zu Gott hinführet,
Ist nur Koth und Eitelkeit;
Das, was Viele öfters rühret,
Bringt nicht selten Herzeleid:
Wenn ich Jesum recht erkenne,
Das ist, was ich Weisheit nenne.

3 Täglich flehen, stündlich beten
Und mit tief gebeugtem Sinn,
Vor den Thron des Vaters treten,
Das bringt Leben und Gewinn:
Das ist Weisheit, das sind Gaben,
Die nur Himmels=Bürger haben.

4 Fest an Jesum Christum glauben,
　Als dem Gott der Herrlichkeit,
　Und sich dies nicht lassen rauben.
　Das bringt Heil, Zufriedenheit:
　Auf ihn als den Mittler sehen,
　Heißt sich aus dem Staub erhöhen.

5 Böses meiden, Gutes fassen,
　Durch des Herrn Jesu Kraft,
　Alle Lust der Welt verlassen,
　Die nur lauter Unlust schafft.
　Ach wie bald, wie bald verschwindet,
　Was sich nicht auf Jesum gründet.

————

(5)

Herzlich thut mich verlangen
　Nach einem sel'gen End,
Weil ich hier bin umfangen
　Mit Trübsal und Elend;
Ich hab Lust abzuscheiden
　Von dieser bösen Welt,
Sehn' mich nach ew'gen Freuden,
　Sonst nichts mir hier gefällt.

2 Du hast mich ja erlöset
　Von Sünde, Tod und Höll,
Es hat dein Blut gekostet,
　Drauf ich mein' Hoffnung stell.
Warum sollt mir denn grauen

21

Vorm höllischen Gesind?
Weil ich auf dich thu bauen,
Bin ich ein sel'ges Kind.

3 Wenn gleich süß ist das Leben,
Der Tod sehr bitter mir,
Will ich mich doch ergeben
Zu sterben willig dir :
Ich weiß ein besser Leben ;
Da meine Seel fährt hin,
Des freu ich mich gar eben,
Sterben ist mein Gewinn.

4 Der Leib wird in der Erden
Von Würmern zwar verzehrt,
Doch wird er einmal werden
Durch Christum schön verklärt ;
Wird leuchten als die Sonne,
Und leben ohne Noth,
In ew'ger Freud und Wonne,
Was schad mir denn der Tod?

5 Ob mich die Welt auch reizet,
Zu bleiben länger hier ;
Und mir auch immer zeiget
Ehr, Geld, sammt aller Zier :
Dies ist, was ich nicht achte,
Es währet kurze Zeit :
Den Himmel ich betrachte,
Der bleibt in Ewigkeit.

6 Der Tod wird mich zwar scheiden,
  Von manchem treuen Freund,
  Das mir und ihm bringt Leiden;
  Allein zum Trost erscheint
  Der Tag, da wir mit Wonne
  Einander wiedersehn,
  Dann wird die Freuden=Sonne
  Uns niemals untergehn.

——

(9)

Nun lieg ich armes Würmelein,
  Und ruh in mei'm Schlaf=Kämmerlein,
Ich bin durch einen sanften Tod,
Entgangen aller Angst und Noth.

2 Was schadets mir daß mein Gebein
  Muß in der Erd verscharret seyn?
  Mein Seelchen schwebet ohne Leid,
  In Himmelsglanz und Herrlichkeit.

3 In solchem Schmuck, in solcher Zier
  Prang ich vor Gottes Thron allhier.
  Mein Jesulein ist meine Lust,
  Mein Labsal, meine beste Kost.

4 Was frag ich nun nach jener Welt,
  Mein Jesulein mich küßt und hält
  In ihm erfreu ich mich allein,
  Ohn es kann ich nicht fröhlich seyn.

21*

5 Mit Weinen war ich erst gebor'n,
Zum Jauchzen bin ich nun erkohr'n;
Ich singe mit der Engel Schaar
Das ewig neue Jubeljahr.

6 Nichts liebers meine Zunge singt,
Nichts reiners meinen Ohren klingt,
Nicht süßers meinem Herzen ist,
Als mein herzliebster Jesus Christ.

7 Drum, liebe Eltern, höret auf
Zu klagen meinen kurzen Lauf,
Ich bin vollkommen worden bald:
Wer selig stirbt, ist g'nugsam alt.

8 Bedenket meinen Freudenstand,
Und wie es in der Welt bewandt;
Bey euch rumoret Krieg und Streit,
Hier herrschet Fried und Fröhlichkeit.

9 Wer auf der Erden lange lebt,
Derselb auch lang an Sünden klebt,
Muß streiten oft mit Fleisch und Blut,
Das manchem bang und wehe thut.

10 Sollt es euch dann nicht tröstlich seyn,
Daß ich so sanft geschlafen ein?
Daß mir das liebe Jesulein
Verkürzet meine Todespein?

11 Drum legt die Hand auf euren Mund,
Und seht auf Gott der euch verwundt,
Der euch zu heilen ist bereit
Wann's dienet eurer Seligkeit.

(3)

Ihr Kinder Gottes alle,
Die ihr Gott folget nach,
Thut seinen Wohlgefallen
Und leidt darum viel Schmach,
So seyd nun steif auf dieser Bahn,
Was Gott über euch läßt kommen,
Das nehmt mit Willen an.

2 Werfet all eure Sorge
Auf den wahrhaften Gott,
Dann er will für uns sorgen,
Allhie in aller Noth.
Ihm sind all Ding ganz wohl bekannt,
Darum laßt uns erniedrigen
Unter sein g'waltig Hand.

3 Auf daß er uns erhöhe,
Wenn's ihn dünkt rechter Zeit,
Die wir jetzt sind verschmähet,
Er ist von uns nicht weit.
Er will uns helfen aus aller Pein,
Drum wollen wir ihm dienen,
Und ihm gehorsam seyn.

4 O ihr geliebte Brüder,
Und Schwestern allgemein,
Die ihr seyd Christi Glieder,
Von seinem Fleisch und Bein:
So legt nun an Sanftmüthigkeit,
Geduld, Langmuth und Treue,
Darzu auch Freundlichkeit.

5 Aber vor allen Dingen,
  Legt an die Liebe schon,
  Dadurch wir überwinden
  Allhie auf dieser Bahn.
  Sie ists Band der Vollkommenheit.
  Die Liebe ist Gott selber,
  Sie bleibt in Ewigkeit.

----

(15)

Ich will lieben und mich üben,
  Daß ich meinem Bräutigam
Nur in allem mag gefallen,
Welcher an des Kreuzes=Stamm
Hat sein Leben für mich geben
Ganz geduldig als ein Lamm.

2 Ich will lieben und mich üben
  Im Gebet zu Tag und Nacht,
  Daß nun balde alles Alte
  In mir werd' zum Grab gebracht,
  Und hingegen allerwegen
  Alles werde neu gemacht.

3 Ich will lieben und mich üben,
  Daß ich rein und heilig werd;
  Und mein Leben führe eben,
  Wie es Gott von mir begehrt;
  Ja mein Wandel, Thun und Handel
  Sey unsträflich auf der Erd.

4 Ich will lieben und mich üben
  Meine ganze Lebenszeit,
  Mich zu schicken und zu schmücken
  Mit dem reinen Hochzeit-Kleid.
  Zu erscheinen mit den Reinen,
  Auf des Lammes Hochzeit-Freud.

---

(20)

Jesu, baue deinen Leib,
  Deinen Tempel baue wieder;
Du, du selbst das Werk forttreib,
Sonst fällt alles bald darnieder;
Deines Mundes Lebensgeist
Schaffe was er uns verheißt.

2 Deine Schäflein sind zerstreut,
  Und verirrt auf eignen Wegen;
  Aber, Herr, es ist nun Zeit,
  Daß du ihnen gehst entgegen;
  Sie zu sammeln in die Lieb,
  Durch des Geistes Kraft und Trieb.

3 Du, Herr Jesu! unser eins,
  Unser alles Licht und Leben!
  Laß doch deiner Kinder keins
  Einem andern sich ergeben;
  Du Herr Jesu unser Hirt,
  Unser Weide, Speis' und Wirth.

4 Kindlein, gebt der Liebe Platz,
Laßt den Geist des Friedens walten;
Fried und Liebe ist ein Schatz,
Der unendlich hoch zu halten,
Liebe ist ein Speise süß,
Die man ißt im Paradies.

5 Allerliebstes Jesulein!
Lehr uns um die Liebe beten,
Schmelz uns in dein Herz hinein,
Bind uns mit der Liebe Ketten,
Daß wir seien Eins in dir,
Und verbleiben für und für.

––––––––

(10)

Willst du, wenn Gott dich ruft,
Noch mit der Buße säumen?
Mensch, willst du länger noch
Die Zeit des Heils verträumen?
Ist wahre Besserung
Nicht deiner Seele Glück?
Warum verlierst du denn
Noch einen Augenblick?

2 Wahr ist's: es kostet Müh',
Sein eignes Herz bekämpfen,
Der Sünde widersteh'n:
Und böse Lüste dämpfen.

Doch bleibt es deine Pflicht;
Und jede Schwierigkeit,
Die heute dich erschreckt,
Wird größer mit der Zeit.

3 Je öfter du vollbringst,
Was Fleisch und Blut befohlen,
Je stärker wird dein Hang,
Die That zu wiederholen.
Scheust du dich heute nicht,
Der Sünde Knecht zu seyn;
So wirst du morgen schon
Noch weniger dich scheu'n.

4 Kann nicht ein schneller Tod
Dich heut der Welt entrücken?
Ist wahre Buß' ein Werk
Von wenig Augenblicken?
Ein Seufzer auf zu Gott,
Ein Wunsch nach Besserung
Und Angst vor Strafe reicht
Nicht hin zur Heiligung.

5 So süß ein Laster ist,
So giebts doch keinen Frieden,
Der Frömmigkeit allein
Hat Gott dies Glück beschieden.
Ein Mensch der Gott gehorcht,
Erwählt das beste Theil;
Ein Mensch der Gott verläßt,
Verläßt sein eigen Heil.

6 Die Buße führt dich nicht
  Zu lauter Angst und Leiden;
  Sie führet dich zu Gott,
  Zu wahren, ew'gen Freuden:
  Macht deine Seele rein,
  Füllt dich mit Zuversicht,
  Giebt Weisheit und Verstand,
  Und Muth zu jeder Pflicht.

7 Dein Gott verleiht dir Kraft,
  Dich selber zu besiegen!
  Der Sieg, so schwer er ist,
  Bringt göttliches Vergnügen.
  Was zagst du? geht es gleich
  Im Anfang langsam fort;
  Sey wacker! Gott ist nah,
  Und stärkt dich durch sein Wort.

8 So gieb denn, weil ich jetzt,
  Herr, deinen Ruf noch höre,
  Daß ich mich ungesäumt
  Zu dir vom Bösen kehre!
  Dann darf ich nicht zu spät
  Verlornes Heil bereu'n;
  Darf mich der Seligkeit
  Schon hier im Glauben freu'n.

(20)

Jesus nimmt die Sünder an!
Sagt doch dieses Trostwort Allen,
Die noch auf verkehrter Bahn
Und auf Sündenwegen wallen!
Hier ist was sie retten kann:
Jesus nimmt die Sünder an!

2 Keiner Gnade sind wir werth;
Dennoch hat der Ewigtreue
Deutlich, liebreich sich erklärt,
Daß er gern die Schuld verzeihe
Denen, die zu ihm sich nah'n.
Jesus nimmt die Sünder an!

3 Wenn ein Schaaf verloren ist,
Suchet es ein treuer Hirte.
Jesus der uns nie vergißt,
Suchet treulich das Verirrte,
Und zeigt ihm die rechte Bahn.
Jesus nimmt die Sünder an!

4 Kommet Alle, kommet her,
Kommet ihr betrübten Sünder!
Sind gleich eure Sünden schwer,
Kommt und werdet Gottes Kinder!
Auf und laßt uns zu ihm nah'n!
Jesus nimmt die Sünder an!

5 Jesus nimmt die Sünder an !
  Mich hat er auch angenommen,
  Mir den Himmel aufgethan,
  Daß ich heilig zu ihm kommen
  Und noch sterbend rühmen kann :
  Jesus nimmt die Sünder an !

NOTA.—Für den Ton einiger Lieder, welche nicht
unter der richtigen Zahl vorkommen, siehe im Melo-
dien-Register nach.

Melodien=Register.

Ein Register

Nach dem Alphabet und der Zahl der Seiten.

———